Uma Paixão Indomável

Uma Paixão Indomável

Tradução
Celina Romeu

Rio de Janeiro, 2017

Título original: Untamed

Rua Nova Jerusalém, 345 — Bonsucesso — 21042-235
Rio de Janeiro — RJ — Brasil
Tel.: (21) 3882-8200 — Fax: (21) 3882-8212/831

CIP-Brasil. Catalogação na Publicação
Sindicato Nacional dos Editores de Livros, RJ

R549p

Roberts, Nora
Uma paixão indomável / Nora Roberts ; tradução Celina Romeu. – 1. ed. – Rio de Janeiro : HarperCollins, 2017.

160 p.
Tradução de: Untamed
ISBN 978-85-398-2370-3

1. Romance americano. I. Romeu, Celina. II. Título.

16-37990 CDD: 823
CDU: 821.111-3

Capítulo Um

Ao estalar do chicote, 12 leões se ergueram apoiados nas patas traseiras e balançaram as dianteiras no ar. Ao comando, começaram a pular de pedestal em pedestal numa formação fechada, rápida, desenhando um padrão de oito. Isso exigia um *timing* de uma fração de segundo. Com comandos de voz e mãos, a treinadora mantinha os corpos dourados e ágeis em movimento.

— Muito bem, Pandora.

Ao ouvir seu nome e ver o sinal, a musculosa leoa pulou para o chão e se deitou de lado. Um por um, os outros a seguiram rapidamente até que, rosnando e mostrando os dentes fortes, se esticaram sobre o piso forrado de areia.

Um macho estava deitado ao lado de cada fêmea; à ordem ríspida da treinadora, Merlin parou de mordiscar a orelha de Ophelia.

— Cabeças erguidas!

Eles obedeceram enquanto a treinadora caminhava energicamente diante deles. O chicote foi jogado para o lado com um floreio e, então, com aparente tranquilidade, a treinadora se deitou sobre os corpos quentes. O leão do centro, um africano com uma enorme juba, soltou um rosnado forte e longo. Como recompensa por sua reação, recebeu uma boa coçada atrás da orelha. A treinadora se ergueu do "sofá felino", bateu palmas e fez os leões se levantarem. Então, com um gesto, cada um foi chamado pelo nome e enviado através da portinhola para sua jaula. Um ficou para trás, um leão enorme, de juba negra que, como um gatinho, circulou a treinadora e se roçou em suas pernas.

Com habilidade, uma corda foi presa a uma corrente escondida sob a juba do leão. Então, com grande agilidade, a treinadora montou no animal. Quando a porta da grande jaula se abriu, o leão e sua amazona seguiram para um passeio pelo picadeiro. Quando chegaram à porta de trás, Merlin, o leão montado, foi transferido para uma jaula com rodas.

— Bem, Duffy — Jo se virou depois que a jaula estava fechada e segura —, está pronto para a estrada?

Duffy era um homem pequeno e redondo, com uma franja igual à de um monge, de cabelo castanho e um rosto coberto de sardas. O sorriso aberto e os olhos azuis irlandeses lhe davam a aparência de um menino de coro. Sua mente era afiada, esperta e rápida, e ele era o melhor administrador que o Prescott's Circus Colossus poderia ter.

— Já que nos apresentaremos em Ocala amanhã, é melhor que todos estejam prontos — disse ele com voz áspera e mudando da direita para a esquerda o toco de charuto aceso que apertava na boca.

Jo apenas sorriu e depois se espreguiçou para suavizar os músculos que haviam ficado rijos após trinta minutos na imensa jaula.

— Meus gatos estão prontos, Duffy. Foi um longo inverno. Eles precisam voltar à estrada tanto quanto todos nós.

Duffy franziu a testa; era apenas alguns centímetros mais alto do que a treinadora de animais. Olhos com o formato de amêndoas, bem separados, o encararam de volta. Eram brilhantes e verdes como esmeraldas, cercados por cílios espessos e longos. No momento, eram destemidos e bem-humorados, mas Duffy já os vira amedrontados, vulneráveis e perdidos. Moveu novamente o charuto de lugar e soltou duas rápidas baforadas enquanto Jo dava instruções rápidas ao ajudante.

Duffy lembrava-se bem de Steve Wilder, pai de Jo. Fora um dos melhores treinadores de leões que conhecera. Jo era tão boa com os animais quanto Wilder. De certa forma, ela era ainda melhor, ele admitia. Mas tinha traços da mãe: uma estrutura delicada; um temperamento sombrio, apaixonado. Jolivette Wilder era tão esguia como a mãe acrobata, com olhos verdes ousados e cabelo negro e liso que descia até abaixo da cintura. As sobrancelhas eram arcos delicados; o nariz, pequeno e reto; os malares, altos e elegantes; a boca, carnuda e macia. A pele, dourada pelo sol da Flórida, acentuava a aparência de cigana. Sua autoconfiança acrescentava brilho à beleza.

Jo terminou de dar as instruções e passou o braço pelo de Duffy. Já vira aquela testa franzida antes.

— Alguém foi embora? — perguntou enquanto andavam em direção ao escritório dele.

— Não.

A resposta monossilábica levou Jo a erguer uma sobrancelha. Não era sempre que Duffy respondia de forma breve. Anos de experiência fizeram-na se calar enquanto andavam pelo grande acampamento do circo.

Havia ensaios por toda parte. Vito, o equilibrista, melhorava seu ato improvisando em um arame estendido entre duas árvores. Os Mendalson gritavam uns com os outros enquanto jogavam seus cilindros brancos para o ar, bem alto, e os pegavam com agilidade, enquanto as amazonas levavam seus cavalos para o picadeiro. Jo viu uma das meninas Stevenson andando sobre pernas de pau. Ela devia estar com seis anos agora, pensou, tirando o cabelo dos olhos ao observar o progresso lento da menina.

Lembrava-se de quando ela nascera; no mesmo ano em que Jo tivera permissão para trabalhar sozinha na grande jaula dos leões. Na época, tinha 16 anos e um ano inteiro se passara até poder se apresentar diante de uma plateia.

Para Jo, nunca houvera outro lar além daquele. Nascera no inverno, enquanto o circo estava de recesso no acampamento e, na primavera seguinte, viajara com os pais no trailer para o primeiro ano da temporada de apresentações, e fizera a mesma coisa em todos os outros anos. Herdara do pai tanto a fascinação quanto o jeito com os animais; da mãe, o estilo e a graça dos movimentos. Embora tivesse perdido os dois havia 15 anos, eles continuavam a influenciá-la. O legado que lhe deixaram fora um mundo de inquietação e de fantasias. Jo crescera brincando com filhotes de leão, montando em elefantes, vestindo lantejoulas e viajando como uma cigana.

Ela olhou para um canteiro de narcisos crescendo ao lado do escritório de inverno de Prescott e sorriu. Lembrava-se de tê-los plantado quando tinha 13 anos e estava apaixonada por um acrobata. Lembrava-se, também, do homem que se agachara ao lado dela, oferecendo conselhos sobre como plantar bulbos e sarar um coração partido. Quando pensou em Frank Prescott, o sorriso ficou triste.

— Ainda não consigo acreditar que ele se foi — murmurou enquanto entrava com Duffy.

O escritório do administrador quase não era mobiliado; tinha apenas uma escrivaninha de madeira, arquivos de metal e duas cadeiras meio bambas. Uma colagem de pôsteres enfeitava as paredes, prometendo o maravilhoso, o estarrecedor, o inacreditável: elefantes que dançavam, homens que voavam pelo ar, lindas garotas que giravam presas apenas pelos dentes, tigres furiosos que montavam a cavalo. Acrobatas, palhaços, leões, homens fortes, damas gordas, meninos que podiam se balançar na ponta dos dedos; tudo levava a magia do circo para a pequena e pobre sala.

Jo olhou para uma estreita porta de pinho e Duffy seguiu seu olhar.

— Continuo esperando que ele entre aqui, afobado, com uma ideia nova e louca — resmungou ele enquanto começava a mexer em seu objeto predileto, uma cafeteira automática.

— Sério? — Com um suspiro, Jo virou uma cadeira, sentou-se com o encosto entre as pernas e descansou o queixo no espaldar. — Todos sentimos falta dele. Não vai ser a mesma coisa sem ele este ano. — Olhou para cima de repente e seus olhos mostravam raiva. — Ele não era um velho, Duffy. Infartos deviam ser apenas para velhos. — E olhou para o vazio, novamente abalada com a injustiça da morte de Frank Prescott, que tinha pouco mais de cinquenta anos, era risonho e gentil. Jo o amava e confiava nele sem reservas. Quando Frank morreu, ela sofrera mais do que quando perdera os pais. Até onde se lembrava, ele era o centro de sua vida.

— Já faz quase seis meses — disse Duffy, ríspido, enquanto analisava o rosto dela. Quando Jo ergueu os olhos, ele lhe entregou uma caneca de café.

— Eu sei. — Pegou a caneca, deixando que lhe aquecesse as mãos na manhã fria de março. Resoluta, afastou a melancolia; Frank não gostaria que a lembrança dele lhe causasse tristeza. Jo olhou para o café e tomou um gole; estava horrível, como sempre. — Dizem que vamos seguir exatamente a rota do ano passado: são 13 estados. — Ela sorriu, observando Duffy fazer uma careta ao tomar o café e depois engolindo tudo. — Você não é nem um pouco supersticioso, né? — Sorriu, sabendo que ele guardava um trevo de quatro folhas na carteira.

— Ora! — resmungou, indignado, ruborizando sob as sardas. Deixou a caneca vazia de café sobre a pia minúscula. Depois rodeou a escrivaninha e se sentou. Quando cruzou as mãos sobre o mata-borrão amarelo, Jo sabia que ele falaria sobre negócios. Através da janela aberta, podia ouvir a banda ensaiando. — Devemos chegar a Ocala amanhã por volta das seis horas — começou. Jo acenou, como ele esperava. — As tendas devem estar erguidas antes das nove.

— O desfile pelas ruas da cidade deve acabar antes das dez e a matinê começará às duas — terminou ela com um sorriso. — Duffy, você não vai me mandar trabalhar com os animais no espetáculo secundário de novo, vai?

— Deve haver bastante gente — disse ele, evitando a pergunta com habilidade — Bonzo prevê um tempo bom.

— Bonzo devia se limitar aos tombos e monociclos — disse Jo enquanto Duffy mastigava o charuto agora apagado. — Certo, vamos direto ao assunto — continuou com firmeza.

— Alguém vai se juntar temporariamente a nós em Ocala. — Duffy franziu os lábios quando os olhos, de um azul desbotado pela idade, encontraram os de Jo. — Não sei se vai terminar a temporada conosco.

— Ah, Duffy, teremos de treinar um novato a essa altura do campeonato? — perguntou Jo. — Quem é? Algum escritor entusiasmado que quer escrever um épico sobre a arte circense em extinção? Que vai passar algumas semanas conosco como um ajudante sem qualificação e jurar que sabe tudo sobre circo?

— Não acho que ele trabalhará como ajudante — resmungou Duffy, levando um fósforo aceso ao charuto.

Jo franziu a testa, observando a fumaça subir.

— É um pouco tarde para trabalhar num novo número, não é?

— Ele não é um artista — Duffy praguejou baixinho. Então, encarou Jo novamente. — É o proprietário.

Por um momento, Jo nada disse. Ficou apenas sentada, imóvel, como Duffy já a vira fazendo muitas vezes enquanto treinava um animal jovem.

— Não! — Ela se levantou de repente, balançando a cabeça. — Ele não! Não agora. Por que ele tem que vir? O que quer aqui?

— É o circo dele — lembrou Duffy, com a voz simpática e, ao mesmo tempo, áspera.

— Jamais será o circo dele — retrucou Jo com ardor, os olhos brilhantes e enfurecidos com uma raiva que raramente demonstrava. — É o circo do Frank.

— Frank está morto — declarou Duffy num tom calmo e definitivo. — Agora o circo pertence ao filho dele.

— Filho? — contestou Jo, erguendo os dedos até as têmporas. Devagar, andou até a janela. O sol brilhava sobre as cabeças dos artistas e demais funcionários do circo. Observou o número do trapézio, os trapezistas com roupões grossos sobre as malhas, as cabeças em direção ao círculo externo do picadeiro. As conversas em diversas línguas eram tão familiares que ela já nem estranhava. Colocou as palmas das mãos no parapeito da janela e, com um suspiro, controlou a raiva. — Que tipo de filho é este que nunca se deu ao trabalho de visitar o pai? Em trinta anos, nunca veio ver Frank, nunca escreveu, nem mesmo veio para o funeral. — Jo engoliu as lágrimas de raiva que lhe subiram à garganta e engrossaram a voz. — Por que viria agora?

— Você precisa aprender que a vida é uma moeda de duas faces, garota — disse Duffy energicamente. — Você nem havia nascido há trinta anos. Não sabe por que a mulher de Frank o deixou, nem por que o menino nunca o visitou.

— Ele não é um menino, Duffy. É um homem. — Virou-se para trás e Duffy percebeu que ela já havia se controlado. — Ele tem 31, 32 anos e é um advogado de muito sucesso, com um luxuoso escritório em Chicago. E é muito rico, sabia? — Um pequeno sorriso brincava em seus lábios, mas não chegava aos olhos. — E não apenas por seu trabalho no tribunal e honorários; há muito dinheiro por parte da mãe dele. Dinheiro antigo, sem exibicionismo. Não consigo entender o que um rico advogado de cidade grande quer com um circo.

Duffy deu de ombros, que eram largos e redondos.

— Pode ser que queira uma isenção de impostos. Pode ser que queira montar num elefante. Pode ser qualquer coisa. Pode querer fazer um inventário e nos vender, um a um.

— Ah, Duffy, não! — O rosto de Jo mostrou sua emoção. — Ele não poderia fazer isto.

— O diabo que não poderia! — resmungou Duffy enquanto apagava o charuto. — Ele pode fazer o que quiser. Se quiser liquidar tudo, liquida.

— Mas temos contratos até outubro...

— Você é inteligente o suficiente para entender, Jo. — Duffy franziu a testa e coçou a cabeça. — Ele pode comprar os contratos ou pagar as multas. É advogado, pode descobrir uma forma de anular um contrato, se quiser. Pode esperar até agosto, quando começamos a negociar de novo, e deixar todos vencerem. — Vendo o desalento de Jo, ele voltou atrás. — Escute, garota, não disse que ele *vai* vender. Só disse que *pode.*

Jo passou uma das mãos pelo cabelo.

— Deve haver alguma coisa que possamos fazer.

— Podemos mostrar lucros no fim da temporada — disse Duffy em tom seco. — Podemos mostrar ao novo proprietário o que temos a oferecer. Acho que é importante que ele veja que não somos apenas um espetáculo na lama, mas um circo de três picadeiros com atos de classe. Ele pode ver o que Frank construiu, como ele viveu, o que quis fazer. Acho que você deve ficar encarregada desta tarefa — acrescentou, observando o rosto de Jo.

— Eu? — Jo estava incrédula demais para ficar zangada. — Por quê? Você é mais qualificado no departamento de relações públicas. Eu treino leões, não advogados.

Jo não conseguiu disfarçar o leve desdém na voz.

— Você era mais próxima de Frank do que qualquer um. E não há ninguém aqui que conheça o circo melhor do que você. — Duffy franziu a testa de novo. — E você é inteligente e educada. Nunca descobri que utilidade teria para você a leitura de todos aqueles livros, mas talvez estivesse errado.

— Duffy... — Jo sorriu. — Só porque gosto de ler Shakespeare não significa que tenho condições de lidar com Keane Prescott. Só de pensar nele fico furiosa. Como vou agir quando o encontrar cara a cara?

— Bem... — Duffy deu de ombros antes de apertar os lábios. — Se você acha que não consegue lidar com isso...

— Não disse que não *consigo* lidar com isto — resmungou Jo.

— É claro, mas se está com medo...

— Não tenho medo de nada, muito menos de um advogado qualquer de Chicago que não conhece a diferença entre pó de serragem e areia. — Jo pôs as mãos nos bolsos e andou pela pequena sala — Se o doutor Keane Prescott quer passar o verão com o circo, farei o melhor que puder para torná-la uma estação inesquecível.

— Com gentileza — aconselhou Duffy quando Jo se dirigiu para à porta.

— Duffy... — Ela parou e lhe deu um sorriso inocente. — Você sabe como sou gentil. — E, para provar, Jo saiu e bateu a porta com força.

Estava quase amanhecendo quando a caravana do circo parou em um campo amplo e gramado. As cores ainda eram apenas uma promessa no pálido céu cinzento. A distância, viam-se extensas plantações de laranjeiras. Quando Jo desceu da caminhonete, o aroma lhe atingiu as narinas.

O dia estava perfeito, concluiu. Então, respirou profundamente. Para ela, não havia visão mais perfeita do que a aurora lutando para nascer de novo.

O ar estava ligeiramente frio e ela subiu o zíper da jaqueta enquanto observava o resto da trupe saindo de suas caminhonetes, carros e trailers. A calma da manhã logo foi destruída pelo som de vozes.

O trabalho começou imediatamente. Enquanto a lona da Grande Tenda estava sendo desenrolada do caminhão-bobina, Jo saiu para ver como seus leões haviam suportado a viagem de oitenta quilômetros. Três ajudantes desembarcavam as jaulas de viagem; o mais antigo deles era Buck, que trabalhara com o pai dela e, durante o intervalo entre a morte dele e a estreia de Jo como profissional, fizera um pequeno ato com quatro leões machos. Tímido como era, se afastar das luzes da ribalta foi um alívio. Para Buck, duas pessoas eram uma multidão. Tinha quase dois metros de altura e um corpo poderoso o bastante para atuar no picadeiro secundário como Hércules, o Homem Forte. Tinha uma cabeleira loura, selvagem e impressionante, e uma barba grande e ondulada. As mãos eram enormes, com dedos fortes e grossos, mas Jo se lembrava da delicadeza dele quando os dois ajudaram uma leoa a dar à luz dois filhotes.

O físico mirrado do outro ajudante, Pete, parecia insignificante ao lado do de Buck. Já a idade dele era um mistério. Jo acreditava que estava entre os quarenta e cinquenta anos, mas não tinha certeza. Era um homem calmo, tinha a pele como mogno polido e uma voz grave, baixa. Pedira um emprego a Jo cinco anos antes. Ela nunca perguntara de onde era e ele jamais contara. Usava um boné de beisebol e nunca era visto sem mascar um chiclete. Lia os livros de Jo e era um campeão inquestionável na mesa de pôquer.

O ajudante mais jovem, Gerry, tinha 19 anos e era entusiasmado; com quase 1,90m, ainda tinha a magreza da juventude. A mãe dele costurava e o pai era um vendedor de suvenires do circo. Trabalhar na grande jaula era o sonho de Gerry e, como tinha sido o dela, Jo finalmente concordara em treiná-lo.

— Como estão meus bebês? — perguntou quando se aproximou e parou diante de cada jaula. Jo acalmava os bichos nervosos, chamando cada um pelo nome até eles se aquietarem.

— Viajaram bem, mas Hamlet ainda está um pouco tenso. É o primeiro ano dele na estrada.

— Ele é mau — resmungou Buck, observando Jo se mover de jaula a jaula.

— Sim, eu sei — respondeu ela, distraída. — Mas também é esperto. — Ela havia feito uma longa trança no cabelo e a jogou para trás. — Olhem, estão chegando pessoas da cidade. — Alguns carros e muitas motocicletas entraram no acampamento.

Eram pessoas das cidades vizinhas que queriam ver a Grande Tenda sendo erguida, queriam ver o outro lado do circo, pelo menos por um momento. Alguns apenas olhariam enquanto outros ajudariam com os mastros das tendas, esticando lonas e cordas. Ganhariam uma entrada e uma experiência inesquecível.

— Mantenha-os longe das jaulas — ordenou Jo, acenando para Pete antes de se encaminhar para a lona ainda frouxa. Buck a acompanhou.

O campo estava cheio de vida, coberto por cordas, arames e pessoas. Seis elefantes estavam com arreios, mas ainda sem fazer nada, com seus acompanhantes em pé junto à linha do mastro. Enquanto trabalhadores puxavam as cordas, a lona marrom empoeirada começou a se erguer como um cogumelo gigantesco.

Os mastros foram colocados nas posições lateral, intermediária e central, e a lona abafava os sons dos esforços dos trabalhadores. No leste, o sol se erguia, manchando o céu de cor-de-rosa. Havia instruções gritadas pelo chefe dos trabalhadores que erguiam a lona, risadas de meninos aventureiros e, às vezes, um xingamento. Quando os mastros intermediários foram inseridos sob a lona, Jo fez um sinal para Maggie, o grande elefante africano. Dócil, Maggie abaixou a tromba e Jo subiu agilmente nela e passou para o largo e cinzento lombo do animal.

O sol ficava cada vez mais alto, lançando os primeiros raios de luz no campo. O cheiro das flores de laranjeira se misturava com o odor dos arreios de couro.

Jo observara incontáveis vezes a lona ser erguida sob um céu que clareava. Cada vez era especial, e a primeira montagem de uma temporada era a mais especial de todas. Maggie ergueu a cabeça e bramiu, como se estivesse contente por estar ali no começo de uma nova temporada. Com uma risada, Jo estendeu a mão para trás e lhe coçou o couro áspero. Sentia-se livre, jovem e incrivelmente viva. *Se houvesse um momento,* pensou de repente, *que pudesse capturar numa garrafa, seria este. Então, quando estivesse bem velhinha, eu tiraria a rolha e me sentiria jovem de novo.* Sorrindo, olhou as pessoas abaixo dela.

A atenção de Jo se voltou para um homem que estava em pé ao lado de um rolo de cabos. Como de costume, analisou primeiro sua estrutura física. Um corpo bem proporcionado era essencial para um artista de circo. O homem era magro e tinha uma postura ereta. Observou que ele tinha bons ombros, mas duvidava de que houvesse muitos músculos em seus braços. Embora estivesse vestindo jeans, tudo nele mostrava que vivia na cidade. O cabelo era louro escuro e a brisa matinal os havia desarrumado, fazendo-os cair na testa. Estava bem barbeado e o rosto era estreito; o queixo, firme. Era um rosto atraente; não bonito como o de Vito, o equilibrista do arame, porém mais intenso, com traços marcantes.

Jo gostou do rosto, do formato da boca generosa que não sorria, dos ossos elegantes sob a pele bronzeada. Mais do que tudo, gostou do modo direto com que os olhos cor de âmbar olhavam para ela. Eram como os de Ari, observou, pensando em seu leão favorito. Estava certa de que ele a observava muito antes de ela o notar.

Sabendo disso, Jo ficou impressionada com a falta de consciência de si mesmo. Ele continuava a encará-la, sem fazer esforço para esconder o interesse. Ela riu, sem se deixar perturbar, e jogou a trança para trás.

— Quer uma carona? — gritou para ele. Estranhos demais haviam entrado e saído de seu mundo para ela ser tímida. Jo observou a sobrancelha do homem se erguer em reconhecimento ao convite. Veria se eram apenas os olhos dele que se pareciam com os de Ari.
— Maggie não o machucará. É mansa como um cordeiro, apenas maior.

No mesmo instante, viu que ele compreendera o desafio. O homem caminhou pela grama até ficar em pé ao lado dela. Era ágil, observou Jo, encostando um longo espeto que carregava na lateral de Maggie. Com cuidado, o elefante se ajoelhou nas duas patas da frente. Jo estendeu a mão e, com uma agilidade que a surpreendeu, o homem montou no elefante e sentou-se atrás dela.

Por um momento Jo não disse nada, um pouco assombrada pelo tremor que lhe percorrera o braço quando a palma da mão encontrara a dele. O contato fora breve e Jo achou que fosse apenas sua imaginação.

— Para cima, Maggie — disse ela, atiçando a montaria com um leve golpe. Com um suspiro elefantino, Maggie obedeceu, levantando-se e balançando seus passageiros de um lado para o outro.

— Você sempre dá carona para homens estranhos? — perguntou a voz atrás dela. Era suave, com um tom agradável, completamente masculino.

Jo virou o rosto por sobre o ombro e sorriu.

— É Maggie quem está dando carona.

— É mesmo? Sabia que ela é extremamente desconfortável?

Jo riu com divertimento genuíno.

— Devia tentar cavalgá-la por alguns quilômetros num desfile de rua e tentar manter o sorriso ao mesmo tempo.

— Dispenso. Você é encarregada de cuidar dela?

— Maggie? Não, mas sei como lidar com ela. — Jo o encarou. — Seus olhos são iguais aos de um dos meus gatos. Gosto deles. E, como você pareceu estar interessado em Maggie e em mim, eu o convidei a subir.

Dessa vez, foi ele quem riu. Jo virou a cabeça para lhe observar o rosto. Havia humor nos olhos dele agora, e os dentes eram brancos e perfeitos. Jo gostou do sorriso e sorriu de volta.

— Fascinante. Você me convidou para montar num elefante porque tenho olhos como os de um de seus gatos. E, sem ofender a dama debaixo de mim, estava olhando para você.

— Hã? — Jo franziu os lábios, pensando. — Por quê?

Por diversos segundos, ele a analisou em silêncio.

— Estranho... Acredito que você realmente não saiba.

— Não perguntaria se soubesse — disse ela, movendo-se ligeiramente. — Teria sido uma perda de tempo fazer uma pergunta se soubesse a resposta. — Jo se mexeu de novo e virou a cabeça para a frente. — Segure-se agora. Maggie precisa merecer seu feno.

Os mastros estavam pendurados entre a lona e o chão em ângulos de 45 graus. Rapidamente, as correntes do elefante foram presas aos anéis de metal na base dos mastros intermediários. Jo incentivou Maggie a se mover para a frente junto a seus colegas de trabalho. Os mastros escorregaram pelo chão. Depois, caíram no lugar, erguendo a lona com eles. A Grande Tenda ganhou vida sob o céu do começo da manhã. Trabalho feito, Maggie se moveu através das aberturas e voltou à luz do dia.

— Lindo, não é? — murmurou Jo. — O nascimento de um novo dia.

Vito passou, gritando alguma coisa para Jo em italiano e, acenando, ela respondeu na mesma língua e, então, fez sinal para Maggie se ajoelhar de novo. Jo esperou até seu passageiro desmontar antes de escorregar para baixo. Ficou surpresa, quando ficaram um diante do outro, por ele ser tão alto. Antes, virando a cabeça para trás, pensou que fosse apenas alguns centímetros menor do que Buck.

— Você parecia menor quando eu estava montada em Maggie — disse ela com a franqueza habitual.

— Você parecia mais alta.

Jo riu, acariciando Maggie atrás da orelha.

— Vai assistir ao espetáculo? — Jo sabia que queria que ele assistisse, sabia também que queria vê-lo de novo. Achou a sensação estranha e intrigante. Homens sempre ficavam em segundo lugar, seus gatos vinham à frente, e homens da cidade jamais a haviam interessado.

— Sim, vou assistir ao espetáculo. — Havia um leve sorriso no rosto dele, mas ele a observava, pensativo. — Você se apresenta?

— Tenho um número com meus gatos.

— Entendi. Não sei por que pensei em você num número aéreo, voando do trapézio.

Ela lhe deu um sorriso caloroso.

— Minha mãe fazia um número aéreo. — Alguém chamou seu nome e, olhando, Jo viu que precisavam de Maggie para erguer a tenda do espetáculo secundário. — Tenho de ir. Espero que goste do espetáculo.

Ele pegou sua mão antes que ela pudesse se afastar com Maggie. Jo ficou imóvel, surpresa de novo pelo tremor que lhe subiu pelo braço.

— Gostaria de vê-la esta noite.

Erguendo os olhos para os dele, Jo viu que eram diretos e sinceros.

— Por quê? — Ela realmente não sabia o motivo. Sabia que queria vê-lo outra vez, mas também não sabia o porquê.

Dessa vez, ele não riu. Com delicadeza, deslizou a ponta do dedo pela trança de Jo.

— Porque você é linda e me intriga.

— Ah! — Jo considerou o que ele tinha dito. Jamais pensara em si mesma como bonita. Impressionante, talvez, nas roupas de espetáculo, cercada pelos leões, mas de jeans, sem maquiagem, duvidava muito. Mesmo assim, era um pensamento interessante. — Está bem, se não houver problemas com os gatos. Ari não tem passado bem.

O homem esboçou um sorriso.

— Lamento saber disso.

Jo foi chamada de novo aos gritos e ambos olharam na direção de onde vinham.

— Estou vendo que precisam de você — disse ele, acenando na direção dos gritos. — Talvez possa me mostrar quem é Bill Duffy antes de ir.

— Duffy? — repetiu Jo com surpresa na voz. — Você não pode estar procurando um emprego! — Havia também um tom de incredulidade e ele sorriu.

— Por que não posso?

— Porque você não combina com nenhum dos tipos que trabalham aqui.

— Há tipos? — perguntou ele, interessado e irreverente.

Jo sacudiu a cabeça, aborrecida.

— Sim, é claro, e você não combina com nenhum deles.

— Na verdade, não estou procurando exatamente um emprego — respondeu, ainda sorrindo. — Mas estou procurando por Bill Duffy.

A mera curiosidade era contra a natureza de Jo. A privacidade era defendida e respeitada no circo. Protegendo os olhos com a mão, Jo olhou em torno até encontrar Duffy supervisionando o levantamento da tenda da cozinha.

— Lá — disse ela, apontando. — Duffy é o que está vestindo uma jaqueta vermelha quadriculada. Ele ainda se veste como um chamador.

— Um o quê?

— Suponho que você o chamaria de bilheteiro. — Com agilidade, ela montou na paciente Maggie. — Este é um termo de gente da cidade, não do circo. — Ela sorriu e, depois, fez Maggie começar a andar. — Diga a Duffy que Jo pediu para lhe dar um ingresso. — Ela virou a cabeça sobre o ombro, acenou e se afastou.

A aurora terminara. Já era manhã.

Capítulo Dois

Jo ficou parada à porta dos fundos da Grande Tenda, esperando por sua deixa. Ao lado dela, estava Jamie Carter, vulgo Topo. Era um palhaço de terceira geração e exibia o rosto colorido e a peruca cor de laranja com naturalidade. Era jovem e ágil e se aproveitava destas características, assim como de sua maquiagem, para injetar entusiasmo à sua arte. Para Jo, Jamie era mais um irmão do que um amigo. Era alto, magro e, sob a tinta, o rosto era expressivo e agradável. Ele e Jo haviam crescido juntos.

— Ela disse alguma coisa? — perguntou Jamie pela terceira vez e, com um suspiro, Jo mexeu na lona da entrada. Dentro, os palhaços ainda estavam fazendo seu número em torno da pista do hipódromo enquanto ajudantes instalavam a grande jaula.

— Carmen não disse nada e não sei por que você perde seu tempo. — A voz dela era áspera e Jamie se ressentiu.

— Não espero que você compreenda — disse, com grande dignidade. Os ombros estreitos se endireitaram sob a camisa vermelha de bolinhas. — Afinal, Ari é o relacionamento mais duradouro que você já teve com o sexo oposto.

— Muito engraçado — replicou Jo, sem se sentir ofendida pela brincadeira. O aborrecimento dela surgia por Jamie se derreter todo por causa de Carmen Gribalti, a irmã do meio dos Gribalti Voadores. Era uma morena bonita, graciosa, talentosa, egoísta e completamente indiferente ao palhaço. Jo olhou para o rosto alegre e pintado do amigo e a irritação desapareceu.

— Provavelmente ela ainda não teve tempo de responder ao bilhete que você mandou. O primeiro dia de uma nova temporada é sempre uma loucura.

— Imagino que sim — resmungou Jamie, dando de ombros. — Não sei o que ela vê em Vito.

Jo pensou na aparência morena e vaidosa do equilibrista e nos músculos tonificados e, sabiamente, evitou falar sobre isso.

— Quem pode entender o gosto de outras pessoas? — E deu-lhe um beijo estalado no nariz vermelho e redondo. — Particularmente, fico toda mole quando vejo um homem com cabelo espesso e alaranjado.

Jamie sorriu.

— Prova de que você sabe o que procurar num homem.

Virando-se, Jo ergueu de novo a lona da entrada da tenda e percebeu que a deixa para Jamie estava próxima.

— Você notou um cara da cidade andando por aí hoje?

— Só umas duas dúzias deles — respondeu secamente enquanto erguia um balde de confete que usava para terminar a brincadeira que estava sendo apresentada no picadeiro.

Jo lhe lançou um olhar.

— Não do tipo comum. Acho que tem cerca de trinta anos, estava de jeans e camiseta. Era alto, mais de 1,90m — as risadas ecoavam pela entrada —, de cabelo louro escuro e liso.

— Sim, eu o vi. — Jamie a afastou do caminho e se preparou para entrar. — Ele estava entrando no vagão vermelho com Duffy. — Com um grito alto e esganiçado, Topo, o palhaço, entrou na Grande Tenda com seus tênis de tamanho exagerado, erguendo o balde de confete.

Pensativa, Jo observou Jamie correr atrás de três outros palhaços em torno do palco. Era estranho que Duffy levasse um cara da cidade para o trailer da administração.

Ele dissera que não estava procurando emprego. Não era um andarilho; tinha um ar inegável de estabilidade. Também não era um ajudante de outro circo, pois a mão era macia demais. E havia uma aura clara de urbanidade nele, também de sucesso e de autoridade, pensou enquanto montava em Babette, uma égua totalmente branca. Não, ele não estava procurando emprego.

Jo deu de ombros, aborrecida por um estranho estar lhe ocupando os pensamentos. Irritou-se mais ao perceber que o procurara na multidão durante o desfile e que, mesmo agora, imaginava se estaria sentado em torno da arena circular. O rapaz não fora à matinê. Jo deu uma palmada leve e distraída no pescoço da égua. Endireitou-se quando ouviu o apito do apresentador.

— Senhoras e senhores! — disse ele, em voz alta e em tons profundos e musicais. — Apresentamos a mais espetacular exibição de domínio de animais sob a Grande Tenda. Jovilette, a rainha dos felinos!

Jo apertou os calcanhares nas laterais de Babette e cavalgou para dentro da arena. Foi recebida com aplausos pela plateia, que gostou da figura corajosa e brilhante que via.

Coberta por uma capa negra, o cabelo longo e negro voando livre sob uma tiara brilhante, fez a égua branca como neve galopar sem usar sela. Em cada mão, segurava um chicote longo e fino, que estalava alternadamente sobre a cabeça. À entrada da grande jaula, ela pulou do cavalo que ainda corria. Enquanto Babette galopava para a porta dos fundos e para os cuidados de um ajudante, Jo juntou os dois chicotes em uma das mãos. Tirou a capa com um floreio.

A roupa era uma malha inteira, bem justa, de um branco brilhante e bordada com lantejoulas douradas. Num contraste intenso, o cabelo negro descia liso e impecável pelas costas.

Faça uma entrada espetacular, Frank sempre dissera. E Jovilette fez uma entrada espetacular.

Os 12 leões já estavam na jaula, em torno da grade externa, sobre pedestais azuis e brancos. Entrar na jaula principal parecia algo rotineiro para a plateia, mas Jo sabia que era um dos momentos mais perigosos do seu número. Para entrar, tinha de passar exatamente entre dois felinos enquanto se movia da segurança da jaula externa para a arena principal. Sempre destinava aqueles lugares para os leões mais comportados, mas, se um deles estivesse irritado, ou mesmo brincalhão, podia facilmente atacar com uma patada poderosa. Mesmo com as garras arrancadas, o dano seria mortal.

Ela entrou com agilidade e foi cercada por leões por todos os lados. As lantejoulas e a tiara capturavam as luzes e brincavam com elas quando Jo começou a se mover em torno da jaula, estalando o chicote por exibicionismo enquanto usava a voz para ordenar que os leões se apoiassem nas ancas para erguer as patas dianteiras.

Fez com que realizassem os movimentos habituais, ajustando o *timing* para compensar qualquer relutância dos felinos, deixando um truque começar exatamente onde o último terminara. Jo não gostava de atos em que os leões se amontoassem; preferia ação e movimento. O contraste entre os animais enormes e dourados e a mulher pequena em branco e dourado que os dominava era seu melhor adereço, e ela sabia explorar isso. O número dela era uma *pintura,* que dependia de estilo e brilho, e não um número de *luta,* que enfatizava a ferocidade dos grandes felinos pelo uso de armas de festim e ataques ensaiados ou *pulos.* A confiança de Jo era transmitida à plateia, fazendo com que lidar com aqueles animais não parecesse um esforço. Na verdade, o corpo dela estava tenso, à espera de qualquer perigo, e sua mente estava intensamente focada nos leões; para ela, parecia não haver uma plateia.

Ficou em pé entre dois pedestais altos enquanto os leões pulavam acima de sua cabeça de ambas as direções. Eles provocavam uma leve brisa que fazia o cabelo dela balançar. Rugiam quando ela lhes dava o sinal, criando um leve eco. De vez em quando, um deles estendia a pata para tocar no chicote e ela o fazia parar com uma ordem rápida.

Jo fez com que seu melhor saltador passasse por um anel de fogo e seu melhor equilibrista caminhasse sobre uma bola prateada brilhante. Terminou o número sob forte salva de palmas, cavalgando Merlin pela trilha do hipódromo.

À porta dos fundos, Merlin pulou para uma jaula com rodas e foi entregue a Pete.

— Ótimo espetáculo — disse ele enquanto entregava a Jo um longo roupão atoalhado. — Impecável.

— Obrigada. — Sentindo frio, ela se envolveu no roupão. A noite de primavera estava gelada em comparação com o calor e as luzes fortes na grande jaula. — Escute, Pete, diga a Gerry que pode alimentar os leões esta noite. Eles estão se comportando bem.

Pete fez uma bola de chiclete e riu.

— Ele vai se sentir no céu esta noite.

Enquanto ele se afastava para a caminhonete que puxaria a jaula para a área dos leões, Jo o chamou.

— Pete? — Ela mordeu o lábio e, depois, deu de ombros quando ele virou a cabeça. — Você ficará de olho nele, certo?

Pete sorriu e subiu na cabine da caminhonete.

— Com quem está preocupada, Jo? Com estes grandes gatos ou com o menino magrelo?

— Ambos — respondeu ela. As pedras falsas em sua tiara brilharam quando ela jogou a cabeça para trás e riu.

Jo sabia que tinha quase uma hora antes do número final. Por isso afastou-se da Grande Tenda. Pensou em ir até a tenda da cozinha para tomar um café. Mentalmente, começou a repassar cada parte de seu número. Tudo correra bem, pensou, satisfeita com o *timing* e com o desenrolar do ato. Pete dissera que fora impecável; então, Jo sabia que era verdade. Ouvira as críticas dele mais de uma vez durante os últimos cinco anos. Verdade: Hamlet a testara uma vez ou duas, mas ninguém sabia disso a não ser Jo e o leão. Duvidava de que alguém além de Buck tivesse percebido que ele lhe dera trabalho.

Jo fechou os olhos por um momento e moveu os ombros, aliviando os músculos tensos e retesados.

— Que número espetacular!

Jo se virou ao som da voz; podia sentir o coração acelerar. Embora se espantasse com o interesse que sentia por um homem que mal conhecia, sabia que estivera esperando por ele. Sentiu uma onda de prazer enquanto o observava se aproximar, e o rosto demonstrou isso.

— Oi. — Viu que ele fumava um charuto, mas, diferente dos de Duffy, o dele era longo e fino. Novamente Jo admirou a elegância das mãos dele. — Gostou do espetáculo?

Parou diante de Jo e observou seu rosto com tanta intensidade que ela se perguntou se a maquiagem estava borrada. Então, ele deu uma risadinha de surpresa e balançou a cabeça.

— Sabe... — começou ele. — Quando você me disse esta manhã que fazia um número com gatos, pensei em siameses, não em africanos.

— Siameses? — repetiu Jo, intrigada, então riu. — Gatos domésticos?

Ele lhe acariciou o cabelo nas costas enquanto Jo ria ao pensar em convencer um siamês a pular através de um anel de fogo.

— Do meu ponto de vista, fazia mais sentido do que uma coisinha pequena como você entrar numa jaula com 12 leões — disse ele, enquanto deixava uma mecha do cabelo macio se demorar em seus dedos.

— Não sou pequena — corrigiu Jo, bem-humorada. — Além disso, o tamanho não tem a menor importância para os leões.

— Não, imagino que não. — Ergueu os olhos do cabelo de Jo para os olhos dela; Jo continuava a sorrir, gostando de fitá-lo. — Por que faz isso? — perguntou de repente.

Jo lhe deu um olhar curioso.

— Por quê? Porque é meu trabalho.

Pela forma como ele a observava, Jo pôde ver que não ficara satisfeito com a simplicidade da resposta.

— Talvez devesse lhe perguntar *como* se tornou uma domadora de leões.

— Treinadora — corrigiu automaticamente. À sua esquerda, pôde ouvir os aplausos abafados da plateia. — Os Beirots estão começando — disse ela com um olhar em direção ao som. — Não devia perder. São acrobatas de primeira categoria.

— Prefere não me contar? — A voz dele era suave.

Ela ergueu uma sobrancelha, vendo que ele realmente queria saber.

— Ora, não é nenhum segredo. Meu pai era treinador e tenho um dom para trabalhar com gatos; foi algo natural. — Jo jamais pensara na carreira além desse ponto e deixou o assunto de lado. — Não devia desperdiçar seu ingresso parado aqui fora. Se quiser, pode ficar na porta dos fundos e observar o resto do número. — Jo se virou para mostrar o caminho para a entrada dos artistas, mas parou quando a mão dele segurou a sua.

Ele deu um passo à frente até seus corpos estarem quase se encostando. Jo pôde sentir o calor dele enquanto lhe observava o rosto. O coração batia com força, num ritmo rápido, constante. Podia ouvi-lo vibrar em seu corpo da mesma maneira que vibrava quando ela se aproximava de um novo leão pela primeira vez. Agora, havia alguma coisa nova, alguma coisa ainda não experimentada. Ela estremeceu de excitação pelo desconhecido quando ele ergueu a mão e tocou seu rosto. Jo não se moveu, mas deixou que o calor se espalhasse enquanto o olhava cuidadosamente, avaliando-o, os olhos muito abertos, curiosos e destemidos.

— Você vai me beijar? — perguntou ela num tom que expressava mais interesse do que desejo.

Os olhos dele se iluminaram com humor e brilharam na luz fraca.

— Pensei nisso. Você faz alguma objeção?

Jo pensou por um momento, abaixando os olhos para a boca dele. Gostava de seu formato e se perguntou que gosto teria.

Ele não se aproximou mais. Uma das mãos ainda segurava a dela e a outra a segurou pela nuca. Jo ergueu o olhar até os olhos dele de novo.

— Não — respondeu, por fim. — Não faço nenhuma objeção.

Ele esboçou um sorriso ao apertar um pouco mais a nuca de Jo. Lentamente, abaixou a cabeça em direção à dela. Curiosa e um pouco cautelosa, Jo manteve os olhos abertos, observando os dele. Sabia por experiência que podia conhecer mais sobre pessoas e felinos pelos olhos. Para sua surpresa, os dele também permaneceram abertos, mesmo quando os lábios se tocaram.

Foi um beijo suave, sem pressão, apenas de leve. Impressionada, Jo pensou ter sentido o chão tremer sob os pés e, por um momento, se perguntou se os elefantes estariam sendo levados. *Mas não é hora,* pensou, confusa. Os lábios dele se moveram de leve e os olhos permaneceram fixos nos dela. A pulsação de Jo batia com força. Eles estavam em pé, mal se tocando, enquanto a Grande Tenda pulsava com o barulho atrás deles. Devagar, ele lhe traçou os lábios com a ponta da língua, provocando-os, seduzindo-os para que se abrissem. Mesmo assim, não havia ansiedade no beijo, apenas uma prova. Sem pressa, confiante, ele lhe explorou a boca enquanto Jo sentia a respiração acelerar. Deixou escapar um gemido suave e fechou os olhos.

Por um instante, se entregou completamente a ele, às novas sensações que lhe percorriam o corpo. Recostou-se nele, esticando-se em direção ao prazer, suspirando enquanto o beijo continuava.

Ele se afastou, mas os rostos continuaram próximos.

Tonta, Jo percebeu que se levantara na ponta dos pés para compensar a diferença de altura. A mão dele ainda era leve em sua nuca. Seus olhos eram dourados na noite que escurecia.

— Que mulher inacreditável que você é, Jovilette — murmurou ele. — Uma surpresa atrás da outra.

Jo se sentiu extraordinariamente viva. A pele parecia formigar com as novas sensações e ela sorriu.

— Não sei seu nome.

Ele riu, soltando-lhe a nuca para segurar a outra mão. Antes que pudesse falar, Duffy chamou da direção da Grande Tenda. Jo se virou para observá-lo se aproximar com seu passo rápido.

— Bem, bem, bem — disse ele, com voz alegre e rouca. — Não sabia que vocês tinham se conhecido. Jo tem lhe mostrado tudo por aí? — Alcançou-os e apertou o ombro de Jo. — Sabia que podia contar com você, garota. — Jo olhou para ele, perplexa, mas Duffy continuou antes que ela pudesse perguntar qualquer coisa. — Sim, senhor, esta garotinha tem um número espetacular, não tem? Sempre faz o melhor e conhece este circo como a palma da mão. Foi nascida e criada aqui.

Jo relaxou; percebeu que Duffy estava com uma de suas crises de exibicionismo e não havia como interrompê-lo.

— Sim, senhor, qualquer dúvida que tiver, pergunte à nossa Jo e ela a esclarecerá. Claro, estou sempre ao seu dispor também; o que eu puder lhe dizer sobre nossos livros ou contabilidade ou contratos e coisas assim, apenas me diga.

Duffy tragou o charuto enquanto Jo tinha a primeira sensação de inquietação. Por que Duffy estava falando em livros e contratos? Olhou para o homem, que ainda segurava as mãos dela. Ele olhava para Duffy com um sorriso tranquilo, divertido.

— Você é contador? — perguntou Jo, perplexa.

Duffy riu e lhe deu uma palmadinha na cabeça.

— Você sabe que o sr. Prescott é advogado, Jo. Esqueceu? — E deu a eles um aceno amigável e se afastou.

Jo havia enrijecido de forma quase imperceptível com a informação espontânea de Duffy, mas Keane percebeu. A testa franziu enquanto a encarava.

— Agora você sabe meu nome.

— Sim. — Não havia mais calor em Jo. A voz era tão fria quanto seu sangue. — Pode soltar minhas mãos, sr. Prescott?

Depois de uma breve hesitação, Keane fez que sim com a cabeça e soltou-as. Rapidamente, Jo enfiou-as nos bolsos do roupão.

— Não acha que o nosso relacionamento já avançou para o estágio de usarmos os primeiros nomes, Jo?

— Sr. Prescott, garanto-lhe que, se soubesse seu nome, não teríamos avançado em nada. — As palavras de Jo eram frias e cheias de orgulho.

Por dentro, porém, embora tentasse ignorar, havia a sensação de traição, raiva e humilhação. Todo o prazer da noite desaparecera. Agora o beijo que a deixara se sentindo cheia de vida parecia barato e vulgar. Não, não o chamaria pelo primeiro nome, prometeu a si mesma, jamais.

— Se me der licença, tenho algumas coisas a fazer antes do número final.

— Por que a mudança? — perguntou ele, detendo-a pelo braço. — Não gosta de advogados?

Jo o estudou com frieza, perguntando-se como tinha sido possível ter se enganado tão completamente com o homem que conhecera naquela manhã.

— Não avalio as pessoas pela profissão, sr. Prescott.

— Entendi. — O tom de Keane se tornou indiferente, os olhos avaliadores. — Então parece que tem aversão ao meu nome. Devo presumir que tem alguma coisa contra o meu pai?

Os olhos de Jo brilharam com uma raiva repentina e ela puxou o braço para afastar a mão dele.

— Frank Prescott foi o homem mais generoso, mais gentil e menos egoísta que já conheci. Nem mesmo o associo a ele, sr. Prescott. Você não tem direito a ele. — Embora fosse extremamente difícil, Jo se obrigou a falar em um tom normal de voz. Não gritaria, não chamaria a atenção de ninguém. Isso ficaria estritamente entre ela e Keane Prescott. — Teria sido muito melhor se tivesse me dito logo quem é. Então, não haveria complicações.

— Foi isso o que tivemos? Uma complicação? — O tom era calmo.

A voz tranquila quase acabou com o controle de Jo. Ele a observava com uma curiosidade distante que a fez ter vontade de bater nele. Jo lutou contra a fúria que ameaçava transparecer.

— Você não tem direito ao circo de Frank, sr. Prescott — conseguiu dizer com calma. — Deixá-lo para você foi o único erro que o vi cometer. — Sabendo que o controle estava indo embora, Jo se virou e correu pela grama até se misturar à escuridão.

Capítulo Três

A manhã era surpreendentemente quente. Não havia árvores para bloquear o sol e o cheiro da terra era forte. O circo se moveu para o norte antes do amanhecer. Todos os odores normais se misturavam para formar o aroma do circo: lonas, couro, cavalos suados, tinta, poeira, café e linóleo. Os trailers e caminhonetes estavam na formação costumeira, se transformando no "quintal" que teria sempre o mesmo formato cada vez que o circo fizesse uma parada ao longo dos milhares de quilômetros pelos quais viajava. A bandeira sobre a tenda da cozinha avisava que o almoço estava sendo servido.

A Grande Tenda estava pronta, esperando pela matinê. Rose andou rapidamente pelo caminho em direção às jaulas dos animais. O cabelo escuro estava cuidadosamente penteado num coque na altura da nuca. Os grandes olhos castanhos olhavam para todos os lados, procurando, enquanto a boca fazia um biquinho suave. Estava vestida com um roupão felpudo e calçava tênis e meias. Quando viu Jo em pé diante da jaula de Ari, acenou e começou a correr. Jo afastou a atenção de Ari para observá-la. Com Rose, a diversão era garantida e Jo sentia necessidade disso.

— Jo! — Rose acenou de novo, como se Jo não a tivesse visto da primeira vez. Então parou, sem fôlego. — Jo, tenho apenas alguns minutos. Oi, Ari — acrescentou, educada, antes de se voltar de novo para Jo. — Estou procurando por Jamie.

— Sim, percebi — Jo sorriu, sabendo que Rose decidira conquistar o *alter ego* de Topo. E, se ele tivesse algum juízo, pensou, deixaria ser cativado em vez de sofrer por Carmen. Idiotice, concluiu, afastando do pensamento os assuntos do coração; era mais fácil entender os leões. — Não o vi a manhã toda, Rose. Talvez esteja ensaiando.

— Mais provavelmente babando por Carmen — resmungou, lançando um olhar irritado em direção ao trailer dos Gribalti. — Está fazendo papel de bobo.

— É para isso que ele é pago — lembrou, mas Rose não achou graça. Jo suspirou; gostava realmente de Rose, uma moça alegre e cheia de vida, sem frescuras. — Rose... — disse ela, a voz leve e gentil. — Não desista dele. É um pouco lento, você sabe, e, no momento, está apenas encantado pela Carmen. Vai passar.

— Não sei por que eu me importo — resmungou, mas Jo percebeu que o mau humor já estava desaparecendo. Rose era uma criatura de paixões rápidas e intensas, que explodiam e logo morriam. — Ele não é bonito, você sabe.

— Não — concordou Jo. — Mas o nariz dele é uma gracinha.

— Sorte dele que gosto de vermelho — comentou Rose e sorriu. — Ah, agora sim estamos falando de beleza — murmurou enquanto os olhos se afastavam de Jo. — Quem é aquele ali?

Jo olhou por cima do ombro e o bom humor lhe fugiu dos olhos.

— É o proprietário — disse com a voz sem expressão.

— Keane Prescott? Ninguém me disse que era tão bonito. Ou tão alto — acrescentou Rose, admirando-o abertamente enquanto ele cruzava o pátio dos fundos. Jo observou que ela sempre ficava mais mexicana perto de homens. — Que ombros! Sorte de Jamie que sou mulher de um homem só.

— Sorte sua que sua mãe não pode ouvi-la — disse Jo, ganhando uma cotovelada nas costelas.

— Mas ele vem para cá, *amiga,* e está olhando para você. Senhor, meu pai obrigaria Jamie a me levar ao altar se ele me olhasse daquela maneira.

— Você é uma idiota — disse Jo, irritada.

— Ah, Jo... — disse Rose, com desespero fingido. — Sou uma romântica.

Jo não conseguiu evitar o sorriso, e seus olhos estavam alegres quando os ergueu e encontrou os de Keane. Rapidamente, lutou para disfarçar o brilho e retesou os lábios.

— Bom dia, Jovilette. — Ele dizia o nome dela com facilidade, pensou Jo, como se tivesse passado anos fazendo isso.

— Bom dia, sr. Prescott — respondeu enquanto Rose tossia alto. — Esta é Rose Sanches.

— É um prazer, sr. Prescott. — Rose estendeu a mão, lançando-lhe o sorriso que estivera guardando para Jamie. — Soube que está viajando conosco.

Keane aceitou a mão e sorriu de volta. Jo percebeu com irritação que era o mesmo sorriso tranquilo e afável do estranho que conhecera na manhã anterior.

— Oi, Rose. Bom te conhecer.

Vendo que o sangue mexicano da amiga lhe aquecia o rosto, Jo interveio. Não permitiria que Keane Prescott a conquistasse.

— Rose, você tem apenas dez minutos para voltar e fazer a maquiagem.

— Que porcaria! — exclamou ela, esquecendo a tentativa de se mostrar sofisticada. — Preciso correr. — Saiu em disparada, virou a cabeça e gritou sobre o ombro: — Não conte ao patife do Jamie que eu estava procurando por ele. — Mais alguns passos apressados, virou-se e começou a correr de costas. — Procurarei por ele mais tarde — disse, com uma risada. Então, tornou a se virar e correu com mais rapidez.

Keane observou-a atravessar o acampamento, segurando as saias longas do roupão nas mãos.

— Encantadora.

— Ela tem apenas 18 anos — advertiu Jo antes que pudesse se controlar.

Quando Keane se virou para ela, a expressão era divertida.

— Entendi — disse ele. — E vou levar esta informação em consideração. E o que Rose, de 18 anos, faz? — perguntou ele enfiando os polegares nos bolsos da frente do jeans. — Luta com crocodilos?

— Não — respondeu Jo sem piscar. — Rose é Serpentina, a principal atração do espetáculo secundário. Encantadora de serpentes.

Ficou contente ao ver o olhar de incredulidade de Keane, rapidamente substituído, porém, por um bem-humorado.

— Perfeito — respondeu tirando o cabelo de Jo do rosto antes que ela pudesse protestar com palavras ou ações. — Najas? — perguntou, ignorando o brilho no olhar dela.

— E jiboias — explicou ela em tom calmo. Jo limpou a poeira dos joelhos do jeans desbotado. — Agora, se me der licença...

— Não, acho que não — A voz de Keane era calma, mas Jo reconheceu a autoridade. Fez o melhor que pôde para não entrar em conflito. Ele era o proprietário, lembrou a si mesma.

— Sr. Prescott — começou ela, tentando, com dificuldade, suprimir o impulso de se rebelar. — Estou muito ocupada. Tenho de me aprontar para o espetáculo da tarde.

— Você tem uma hora e meia antes de se apresentar — retorquiu ele com tranquilidade. — Acho que pode me dedicar uma parte desse tempo. Foi encarregada de me mostrar o circo. Por que não começamos agora? — O tom da pergunta deixava espaço para uma única resposta. Jo tentou encontrar uma saída.

Virando a cabeça para trás, cruzou com o olhar daquele homem. Não será fácil vencê-lo, concluiu, analisando os olhos firmes e avaliadores. É melhor aprender os movimentos dele com mais cuidado antes de começar uma batalha.

— Por onde gostaria de começar?

— Por você.

A resposta direta de Keane a fez franzir a testa.

— Não sei o que quer dizer.

Por um momento, Keane a observou. Não havia timidez ou malícia nos olhos dela enquanto o encarava.

— Não. Posso ver que não sabe — concordou ele com um aceno. — Vamos começar por seus leões.

— Ah... — A ruga na testa de Jo desapareceu na hora. — Está bem.

Observou-o enquanto ele tirava um charuto fino e esperou que o acendesse antes de falar.

— Tenho 13... Sete machos e seis fêmeas. Todos são leões africanos com idades que variam de 4 anos e meio a 22 anos.

— Pensei que trabalhasse com 12 — comentou Keane enquanto guardava o isqueiro no bolso.

— É isso mesmo, mas Ari está aposentado. — Virando-se, Jo indicou o grande leão macho cochilando na jaula. — Ele viaja comigo porque sempre viajou, mas não trabalha mais. Tem 22 anos; é o mais velho. Meu pai ficou com ele, embora tenha nascido em cativeiro, porque nasceu no mesmo dia que eu. — Jo suspirou e a voz abrandou. — É o último que pertenceu ao meu pai e não consegui vendê-lo para um zoológico. Sentia-me como se estivesse abandonando um parente idoso num asilo. Ele viveu num circo todos os dias da vida, como eu. O nome dele, em hebraico, significa *leão*. — Jo riu, esquecendo o homem ao lado dela enquanto mergulhava nas lembranças. — Meu pai sempre deu a seus gatos nomes que significam leão de uma forma ou outra. Leo, Leonard, Leonara. Ari foi um saltador de primeira quando estava no auge. Podia escalar também. Alguns não conseguem. Podia ensinar qualquer coisa a Ari. Um bichinho inteligente, não é, Ari? — A mudança no tom de voz levou o grande felino a se mexer. Abriu os olhos e olhou para Jo. Fez um som que era mais um resmungo do que um rugido e voltou a cochilar. — Está cansado — murmurou Jo, combatendo uma sensação de tristeza. — Vinte e dois é muita idade para um leão.

— O que foi? — perguntou Keane, tocando-lhe o ombro antes que ela pudesse se virar. Os olhos estavam cheios de tristeza.

— Ele está morrendo — disse ela, a voz sem firmeza. — E não posso impedir. — Colocou as mãos nos bolsos e se afastou para o grupo principal de jaulas.

Para se controlar, Jo respirou duas vezes profundamente enquanto esperava que Keane se juntasse a ela. Quando se sentiu pronta, continuou:

— Trabalho com estes 12 — disse ela, fazendo um gesto amplo. — São alimentados uma vez por dia, com carne crua seis dias por semana e ovos e leite no sétimo. São todos importados diretamente da África e quando os compro já estão acostumados a viver em jaulas. — O som distante de música assinalou o começo do espetáculo da tarde. — Este é Merlin, o que eu monto ao final do número. Tem dez anos e é o gato mais tranquilo de todos com os quais já trabalhei. Heathcliff tem seis anos, meu melhor saltador — continuou enquanto se movia pela fila de jaulas. — E este é Fausto, o caçula, com quatro anos e meio.

Os leões andavam pelas jaulas enquanto Jo passava acompanhada por Keane. Incapaz de se reprimir, Jo fez um sinal para Fausto, erguendo a mão. Obediente, ele deu um rugido imenso, ensurdecedor, mas, para desapontamento de Jo, Keane não correu.

— Muito impressionante — disse ele com calma. — Você o coloca no centro quando se deita sobre eles, não é?

— Sim. — Ela franziu a testa. Depois, disse francamente o que pensava. — Você é muito observador... e tem nervos de aço.

— Minha profissão também exige que eu tenha, até certo ponto — explicou Keane.

Jo pensou no assunto por um momento, então voltou aos leões.

— Lazareth, 12 anos, é um ator nato. Bolingbroke, dez anos, irmão de Merlin. Hamlet — disse ela, parando de novo. — De cinco anos. Eu o comprei para substituir Ari no número. — Jo observou os olhos dourados — Tem potencial, mas é arrogante e paciente. Está apenas esperando que eu cometa um erro.

— Para quê? — Keane olhou para Jo; os olhos dela eram frios e firmes para Hamlet.

— Para me atacar com uma patada só — disse ela sem mudar de expressão. — É a primeira temporada dele na grande jaula. Pandora — continuou Jo, apontando para uma das fêmeas. — Tem seis anos e é uma dama com muita classe. Hester, de sete, a melhor de todas, e Portia, também em sua primeira temporada. É uma esquenta-banco.

— Esquenta-banco?

— É exatamente isso — explicou Jo. — Ainda não dominou nenhum dos truques mais complicados. Equilibra um número, faz alguns dos movimentos básicos e cumpre tabela. Dulcinea, a mais bonita das damas; Ophelia, que teve filhotes no ano passado; e Abra, de oito anos, um pouco mal-humorada, mas uma boa equilibrista.

Ao ouvir o nome, a leoa se ergueu e esticou o corpo longo e dourado. Então, começou a roçá-lo contra as barras da jaula e um som profundo saiu de sua garganta. Jo franziu a testa e colocou as mãos nos bolsos.

— Ela gosta de você — resmungou.

— Hã? — Erguendo uma sobrancelha, Keane observou com mais cuidado a leoa Abra, com 140 quilos. — Como você sabe?

— Quando um leão gosta de você, faz exatamente o que um gato doméstico faz: roça o corpo no seu. Abra está se roçando nas barras porque não pode chegar mais perto.

— Entendi. — Keane sorriu, bem-humorado. — Tenho de admitir que não sei como retribuir o cumprimento.

Ele tragou o charuto e observou Jo através da fumaça.

— Sua escolha de nomes é fascinante.

— Gosto de ler — disse ela, sem entrar em detalhes. — Há mais alguma coisa que queira saber sobre os gatos? — Jo estava determinada a manter a conversa num nível profissional. O sorriso dele lhe lembrava com clareza demais o encontro na noite anterior.

— Você os droga antes das apresentações?

Os olhos de Jo brilharam de fúria.

— É claro que não.

— Esta é uma pergunta idiota? — retorquiu Keane, deixando o charuto cair no chão e apagando com a bota.

— Não para um novato — concluiu Jo com um suspiro, jogando o cabelo com displicência para trás. — Drogar não só é cruel, mas também uma burrice. Um animal drogado não consegue atuar.

— Você não toca nos leões com aquele chicote — comentou Keane, observando a brisa leve mover o cabelo dela. — Por que o usa?

— Para chamar a atenção e manter a plateia entretida. — Ela sorriu, relutante.

Keane pegou o braço dela e Jo enrijeceu imediatamente.

— Vamos caminhar — sugeriu ele.

Começou a distanciá-la das jaulas e, percebendo que havia muita gente por perto, Jo se esforçou para não se afastar dele. A última coisa que queria era que se espalhasse a história de uma briga dela com o proprietário.

— Como faz para domar os leões?

— Não faço nada. Eles não são domados, são treinados. — Uma mulher alta e loura passou carregando um minúsculo poodle branco. — Merlin está esfomeado hoje — gritou Jo para ela com um sorriso.

A mulher segurou o cachorro com mais força, apertando-o contra o seio num susto encenado e lançou uma reprimenda longa para Jo, em francês rápido. A treinadora riu e lhe disse, na mesma língua, que Fifi era dura demais para Merlin.

— Fifi é capaz de dar um salto mortal duplo nas costas de um cavalo a galope — explicou Jo quando recomeçaram a andar. — É treinada exatamente como os meus gatos, mas é também domesticada. Os leões são selvagens. — Virou o rosto para Keane. O sol fez o cabelo de Jo brilhar e criou manchas douradas em seus olhos. — Um animal selvagem jamais pode ser domado e quem tentar fazer isso é um idiota. Se pegar alguma coisa selvagem e transformá-la num animal de estimação, rouba seu caráter, apaga seu brilho. E, mesmo assim, sempre há uma essência selvagem que pode voltar a despertar. Quando um cachorro se volta contra o dono, é horrível. Quando um leão faz a mesma coisa, é fatal. — Estava começando a se acostumar com a mão dele em seu braço, achando fácil conversar com Keane, porque ele a ouvia. — Um macho adulto tem mais de um metro de altura na cernelha e pesa mais de 250 quilos. Uma patada bem dada pode quebrar o pescoço de um homem, sem mencionar o que as presas e as garras podem fazer. — Jo deu de ombros e sorriu. — Essas não são virtudes de um animal de estimação.

— E, no entanto, você entra numa jaula com 12 leões armada apenas com um chicote?

— O chicote é apenas parte da fantasia — desconsiderou Jo com um gesto da mão. — Não serviria como defesa contra um leão se ele atacar. Ele é um inimigo muito determinado. Um tigre é mais sanguinário, mas normalmente ataca só uma vez. Se errar, aceita filosoficamente, mas um leão ataca de novo, e de novo. Conhece o verso de Byron sobre o ataque de um tigre? "Mortal, rápido e esmagador". — Jo havia se esquecido por completo de sua animosidade e começou a gostar da caminhada e da conversa com aquele estranho bonito. — É uma descrição precisa, mas um leão é totalmente destemido quando ataca, e é teimoso. Não luta como o tigre, porém é mais insistente. Sempre apostaria num leão contra um tigre, e um homem simplesmente não tem a menor chance contra nenhum deles.

— Então, como consegue ficar inteira?

O som da chamada para a matinê era agora apenas um sussurro no ar. Jo se virou, percebendo com surpresa que tinham se afastado uma boa distância do acampamento. Podia ver os trailers e as tendas, ouvir os gritos e risadas ocasionais, mas se sentia estranhamente separada daquilo tudo. Sentou-se com as pernas cruzadas na grama e arrancou uma folha.

— Sou mais esperta do que eles. Pelo menos, eu os faço acreditar nisso. E os domino, em parte com a minha força de vontade. No treinamento, é preciso desenvolver um *rapport*, um respeito recíproco, uma certa afeição. Mas não se pode confiar neles, não se pode descuidar, nunca. E, acima de tudo, é necessário se lembrar da regra básica do pôquer: blefe — acrescentou, olhando-o enquanto ele se sentava ao seu lado. — Jo sorriu, recostando-se nos cotovelos. — Você joga pôquer?

— Quase sempre. — O cabelo dela se espalhou pela grama e ele ergueu uma mecha. — Você joga?

— De vez em quando. Meu ajudante, Pete... — Jo procurou no acampamento, sorriu e mostrou. — Lá está ele, perto do segundo trailer, sentado ao lado de Mac Stevenson. O que está usando o boné de beisebol. Pete organiza um jogo de vez em quando.

— Quem é a menina com as pernas de pau?

— Aquela é a caçula de Mac, Katie. Quer caminhar sobre as pernas de pau no desfile de rua e já está ficando muito boa. E aquele é Jamie — disse ela, rindo quando ele se deixou cair sobre o traseiro aos pés de pau de Katie.

— O Jamie de Rose? — perguntou Keane, observando o número improvisado no acampamento.

— Se ela conseguir fisgá-lo. No momento, está apaixonado por Carmen Gribalti. Carmen não dá a menor bola para Jamie, mas é caidinha por Vito, o equilibrista, que dá em cima de todo mundo.

— Uma questão complicada — comentou Keane, que enrolou a mecha de cabelo de Jo nos dedos. — O romance parece ser muito popular na vida do circo.

— Pelo que leio, é popular em toda parte — retrucou ela.

— E quem encanta você, Jovilette? — Keane puxou o cabelo da moça de leve para fazê-la virar o rosto para ele.

Jo não percebera que ele estava tão perto. Precisava apenas se inclinar para que sua boca tocasse a dele. Seus olhos não se desgrudaram dos dele enquanto esperava que a pulsação se acalmasse. Era estranho, pensou, que ele tivesse um impacto tão grande sobre ela. De súbito, percebeu que seus sentidos estavam mais intensos do que nunca. Podia sentir claramente o cheiro da grama, um cheiro limpo, doce, o calor e a luz do sol. Os sons do circo estavam abafados a distância; acima deles, ouvia o canto dos pássaros, com um trinado ocasional. Lembrou-se do gosto da boca de Keane e se perguntou se ainda seria o mesmo.

— Andei ocupada demais para me encantar por quem quer que seja — respondeu. A voz era firme, mas os olhos, curiosos.

Pela primeira vez na vida, Jo realmente *quis* ser beijada por um homem. Queria sentir de novo o que sentira na noite anterior. Queria ser abraçada, não de leve como ele a abraçara antes, mas com força, braços apertados em torno dela. Queria de novo aquela sensação de não ter peso, de estar flutuando. Jamais experimentara o desejo físico e, por um momento, explorou a sensação. Havia um tremor em seu íntimo que era, ao mesmo tempo, agradável e perturbador. Durante toda aquela silenciosa reflexão, Keane a observava, intrigado pela intensidade do olhar dela.

— Em que você está pensando?

— Estou tentando descobrir por que você faz com que eu me sinta tão estranha — disse ela, com franqueza absoluta. Keane sorriu e ela percebeu que o sorriso começava nos olhos segundos antes de chegar à boca.

— Faço? — Ele pareceu gostar de saber disso. — Você sabia que seu cabelo captura a luz do sol? — Keane pegou uma grande mecha e a deixou escorregar pelos dedos. — Nunca vi uma mulher com cabelo assim; é uma tentação. De que maneira a faço se sentir estranha, Jovilette? — perguntou enquanto os olhos mergulhavam nos dela.

— Ainda não tenho certeza. — Jo percebeu que a voz estava rouca. De repente, decidiu que não era bom continuar a se sentir estranha ou querer ser beijada por Keane Prescott. Levantou-se e limpou o jeans.

— Fugindo? — Quando Keane se levantou, Jo reagiu.

— Jamais fujo de nada, sr. Prescott. — O gelo tornou sua voz incisiva. Estava aborrecida por ter se deixado envolver pelo encanto dele de novo. — E com certeza não fujo de um advogado criado na cidade. — As palavras estavam carregadas de desdém. — Por que não volta para Chicago e mete alguém na cadeia?

— Sou advogado de defesa — replicou Keane com tranquilidade. — Tiro pessoas da cadeia.

— Ótimo. Então vá devolver um criminoso às ruas.

Keane riu, o que só aumentou a raiva de Jo.

— Isso resolve tudo, não é? Você me encanta, Jovilette.

— Bem, não o encantei intencionalmente. — Ela recuou um passo ao ver a diversão nos olhos dele. Não toleraria que a fizesse de tola. — Você não pertence ao circo, não tem nada que estar aqui.

— Ao contrário — discordou ele numa voz fria, controlada. — Tenho tudo para ficar aqui. Sou dono do circo.

— Por quê? — perguntou ela, fazendo um gesto largo com as mãos como se para descartar as palavras dele. — Porque está escrito num pedaço de papel? Isso é tudo que advogados entendem, imagino... Pedaços de papel com palavras estranhas. Por que você veio? Para nos observar e calcular lucros e prejuízos? Qual é o valor da liquidação de um sonho, sr. Prescott? Qual é o preço que você atribui ao espírito humano? Olhe para isso! — bradou, abrindo os braços para abranger tudo atrás deles. — Você vê apenas tendas e um grupo de trailers. Não pode compreender o que tudo isto significa, mas Frank compreendia, ele amava isso.

— Estou ciente disso. — A voz de Keane ainda era calma, mas endurecera. Jo viu os olhos dele escurecerem e ficarem cautelosos. — E também de que ele também o deixou para mim.

— Não posso compreender o motivo. — Frustrada, Jo colocou as mãos nos bolsos e lhe deu as costas.

— Garanto-lhe que eu também não, mas o fato é que deixou.

— Nem uma vez, em trinta anos, você o visitou. — Jo virou-se de novo para ele, o cabelo seguindo o movimento num arco apaixonante. — Nem uma vez.

— Verdade — concordou Keane. Ele estava em pé, com o corpo ereto e a observava. — É claro, alguns podem olhar por outro ângulo. Nem uma vez em trinta anos ele me visitou.

— Sua mãe o deixou e levou você para Chicago...

— Não vamos falar sobre minha mãe — interrompeu Keane com um tom definitivo.

Jo engoliu uma resposta, virando-se de costas para ele de novo. Mas ainda não conseguia recuperar o controle.

— O que vai fazer conosco?

— Isso é problema meu.

— Ah! — Jo se virou de novo para ele. Então, fechou os olhos e resmungou alguma coisa numa linguagem que ele não conseguiu compreender. — Como pode ser tão arrogante? Tão frio? — Os olhos piscaram e se ergueram, revelando raiva. — As vidas de todas essas pessoas não significam nada para você? O sonho de Frank não significa nada para você? Já não tem dinheiro suficiente para não precisar ferir pessoas para ter mais? Ganância não é algo que herdou de Frank.

— Não vou suportar ser provocado — advertiu Keane.

— Eu o provocaria por todo o caminho de volta a Chicago, se pudesse — disse ela, furiosa.

— Eu me perguntei quanto temperamento havia atrás destes brilhantes olhos verdes — comentou Keane, observando o sangue subir no rosto dela. — E parece que é bastante. — Jo começou a responder, mas ele a fez parar. — Espere um minuto — ordenou. — Com ou sem a sua aprovação, este circo é meu. Seria mais fácil para você se pudesse aceitar isso. Eu ainda não terminei — acrescentou quando ela abriu a boca de novo. — Legalmente, posso fazer com minha... — hesitou um momento. Depois, continuou em um tom mordaz. — Herança o que eu quiser... Não tenho obrigação nem intenção de justificar minha decisão para você.

Jo enterrou as unhas nas palmas das mãos para impedir que a voz tremesse.

— Nunca pensei que pudesse ter tanto ódio de uma pessoa tão depressa.

— Jovilette... — Keane colocou as mãos nos bolsos e se balançou nos calcanhares. — Você desgostou de mim antes de me conhecer.

— É verdade — respondeu ela com indiferença. — Mas aprendi a desgostar de você pessoalmente em menos de 24 horas. Tenho um número a apresentar — terminou, virando-se em direção ao acampamento. Embora ele não a tivesse seguido, Jo sentiu os olhos dele até entrar em seu trailer e fechar a porta.

Trinta minutos depois, Jamie saiu pela porta dos fundos da Grande Tenda. Estava sem fôlego depois de uma apresentação vigorosa e segurou as duas tiras do suspensório roxo enquanto respirava com força. Viu Jo em pé ao lado da égua branca. Os olhos dela estavam perturbados; os ombros, rígidos. Alguma coisa ou alguém a havia deixado furiosa e tinha menos de dez minutos para se acalmar antes de iniciar o número com os leões.

Ele se aproximou e lhe puxou o cabelo de leve.

— Ei.

— Oi, Jamie. — Jo se esforçou para manter a voz agradável, mas ele percebeu que ela estava alterada.

— Oi, Jo — replicou ele no mesmo tom.

— Pare com isso — disse ela, afastando-se alguns passos, e a égua a seguiu docilmente. Jo estava há algum tempo tentando pôr as emoções em ordem, mas sem sucesso.

— O que aconteceu? — perguntou Jamie bem atrás dela.

— Nada. — A voz era áspera e Jo se odiou pela grosseria.

Jamie persistiu, conhecendo-a bem demais para se sentir ofendido.

— Nada é um dos meus assuntos favoritos. — Colocou as mãos nos ombros dela, ignorando seu movimento rápido e irritado. — Vamos falar sobre isso.

— Não há nada sobre o que conversar.

— Exatamente. — Ele começou a fazer massagem nos ombros tensos com mãos cobertas por enormes luvas brancas.

— Ah, Jamie... — A bondade dele era irresistível. Suspirando, ela se permitiu ser acalmada. — Você é um idiota.

— Não adianta me elogiar.

— Tive uma discussão com o proprietário. — Jo deixou escapar uma longa exalação e fechou os olhos.

— E por que discutiu com o proprietário?

— Ele me deixa furiosa. — Jo se virou, a capa voando com o movimento. — Não devia estar aqui. Se voltasse para Chicago...

— Espere um pouco. — Jamie a balançou levemente pelos ombros, o que a fez se calar. — Você sabe que não pode ficar desse jeito antes de uma apresentação. Não pode se dar ao luxo de ter a mente em qualquer outra coisa a não ser no que faz quando está naquela jaula.

— Vou ficar bem — resmungou Jo.

— Jo... — Havia censura na voz, misturada com afeição e exasperação.

Relutante, Jo ergueu o olhar para o dele. Era impossível resistir aos olhos sérios no rosto fortemente pintado. Com algo entre um suspiro e um gemido, ela encostou a testa no peito dele.

— Jamie, ele me deixa tão furiosa! Pode arruinar tudo.

— Vamos nos preocupar com isso quando acontecer — sugeriu Jamie, acariciando-lhe o cabelo.

— Mas ele não nos compreende. Ele não compreende nada.

— Bem, então cabe a nós fazê-lo compreender, não é?

Jo ergueu os olhos e fez uma careta.

— Você é tão lógico.

— É claro que sou — concordou ele fazendo uma pose de palhaço. Quando ergueu diversas vezes as sobrancelhas, Jo riu. — Tudo bem? — perguntou ele, pegando seu balde.

— Tudo bem — concordou ela, sorrindo.

— Bom, porque esta é minha deixa.

Quando ele entrou correndo na tenda, Jo recostou o rosto na égua e se esfregou nela por um momento.

— Mas acho que não sou eu quem o fará compreender.

Gostaria que ele nunca tivesse vindo, acrescentou silenciosamente enquanto montava o animal. *Gostaria de nunca ter percebido como os olhos dele se parecem com os de Ari e como aquela boca é bonita quando sorri.* Jo passou lentamente a ponta da língua nos lábios. *Gostaria que ele nunca tivesse me beijado.*

Mentirosa, disse-lhe a consciência. *Admita: está feliz por tê-la beijado. Você jamais sentiu algo assim e, não importa o que aconteça, está contente por ele ter a beijado na noite passada. Você até quis que ele a beijasse de novo hoje.*

Ela se forçou a esvaziar a cabeça, respirando profundamente e suspirando lentamente até ouvir o apresentador do espetáculo a anunciar. Com um movimento dos tornozelos, fez a égua entrar galopando na tenda.

O número não correu bem. A plateia a aplaudiu, sem perceber qualquer problema, mas Jo sabia que o número não se desenrolara com a tranquilidade habitual. E os felinos sentiram sua preocupação. Eles a testaram muitas vezes e Jo foi obrigada a alterar seu *timing* muitas vezes para compensar. Quando o número terminou, a cabeça dela pulsava com o esforço da concentração. As mãos estavam úmidas quando entregou Merlin a Buck e o homem a advertiu assim que trancou a jaula.

— Qual é o problema com você? — quis saber sem rodeios. Pela raiva subjacente e muito rara em sua voz, Jo percebeu que ele observara pelo menos parte do número. Ao contrário da plateia, Buck veria qualquer desvio. — Se você entrar naquela jaula assim de novo, um daqueles leões vai saber qual é o seu gosto.

— Meu *timing* não foi bom, só isso. — Jo combateu o frio no estômago e tentou parecer indiferente.

— O *timing* não foi bom? — exclamou Buck, parecendo maior ainda atrás da farta barba loura. — Quem você acha que está enganando? Lido com estes gatos feios desde antes de você nascer. Quando entra naquela jaula, tem que levar seu cérebro também.

Muito consciente de que ele tinha razão, Jo concordou.

— Eu sei, Buck. Você está certo. — Com a mão cansada, ela jogou o cabelo para trás. — Não acontecerá de novo. Acho que estou cansada e um pouco desequilibrada. — Jo lançou-lhe um sorriso arrependido.

Buck franziu a testa e mexeu os pés. Nunca, em seus 45 anos, fora capaz de resistir a um sorriso feminino.

— Está bem — resmungou. Depois, fungou e obrigou a voz a ficar firme. — Mas você vai dormir logo depois do número final e sem tomar café. Não quero ver você por aí até a hora do jantar.

— Ok, Buck. — Jo manteve a voz humilde, embora quisesse rir.

As pernas não estavam mais tão fracas, e o zumbido surdo de medo começou a desaparecer de sua cabeça. Mesmo assim, sentia-se exausta e aceitou bem o tom de comando pouco característico de Buck. Dormir, concluiu enquanto Buck levava Merlin, era exatamente do que precisava, sem mencionar que era um meio tão bom quanto qualquer outro para evitar Keane Prescott pelo resto do dia. Afastando esse pensamento, Jo decidiu passar o tempo até o número final conversando amenidades com Vito, o equilibrista.

Capítulo Quatro

Choveu por três dias, uma chuva constante, não pesada, mas insistente. Enquanto o circo continuava seu caminho sinuoso em direção ao norte, a chuva o seguia. Mesmo assim, as tendas eram erguidas no chão enlameado, a palha cobria a pista do hipódromo e os artistas corriam dos trailers para as tendas sob guarda-chuvas que pingavam.

O local perto de Waycross, Georgia, estava coberto de poças de lama e água sob um céu pesado, cinzento. Jo se sentiu grata por não haver espetáculo aquela noite.

Por volta das 18h, já era quase noite, com o frio aumentando o desconforto do ar úmido. Jo saiu da tenda da cozinha depois de jantar mais cedo. Daria uma olhada nos leões, pensou. Depois, iria para o trailer, fecharia as cortinas para afastar o ar gelado e se enrolaria nos lençóis com um livro. Estremecendo, concluiu que a ideia era a melhor que podia ter.

Não carregava um guarda-chuva, mas se abrigou precariamente sob um chapéu cinza de abas largas e uma fina capa de chuva. Mantendo a cabeça baixa, passou pela lama, evitando as poças de água ou pulando sobre elas. Cantarolava baixinho, ansiando pelos simples prazeres de uma noite de folga. A canção se transformou num gemido abafado quando bateu num objeto sólido. Dedos se apertaram em torno de seus braços. Mesmo antes de erguer a cabeça, Jo soube que era Keane quem a segurava. Reconhecia o toque dele. Com manobras inteligentes, conseguira evitar ficar sozinha com ele desde que tiveram aquela discussão.

— Desculpe, sr. Prescott. Acho que não estava olhando por onde andava.

— Talvez a chuva tenha molhado seu radar, Jovilette. — Keane não fez esforço nenhum para soltá-la. Aborrecida, Jo foi obrigada a segurar o chapéu com uma das mãos enquanto erguia a cabeça para encará-lo. A chuva caía fria em seu rosto.

— Não sei o que quer dizer.

— Ah, acho que sabe. Não há ninguém por perto. Você foi muito cuidadosa em se manter cercada de pessoas durante dias.

Jo piscou para afastar a chuva dos cílios. Admitiu, pesarosa, que tinha sido tola ao imaginar que ele não perceberia sua tática. Viu que ele também não tinha guarda-chuva, nem mesmo um chapéu. O cabelo estava escurecido pela água, da mesma maneira como o pelo de um de seus leões ficaria se fosse molhado. Era difícil, à meia-luz, distinguir as feições dele, mas a chuva não escondia a zombaria.

— Esta foi uma observação interessante, sr. Prescott — disse Jo, com frieza. — Agora, se não se importa, estou ficando molhada. — Jo se surpreendeu quando Keane a manteve presa depois de ela ter feito uma tentativa clara de se afastar.

Franzindo a testa, Jo colocou as duas mãos no peito dele e empurrou. Descobriu que se enganara. Sob a estrutura magra havia uma força enorme. Enfurecida por tê-lo avaliado mal e por não ser páreo para a força dele, Jo ergueu os olhos de novo.

— Me solta! — exigiu, os dentes cerrados.

— Não — respondeu Keane, calmamente. — Acho que não a soltarei.

Jo olhou para ele com raiva.

— Sr. Prescott, estou com frio e molhada, e gostaria de voltar para o meu trailer. O que você quer?

— Primeiro, quero que pare de me chamar de sr. Prescott. — Jo fez uma careta, mas ficou em silêncio. — Segundo, gostaria de uma hora do seu tempo para repassar uma lista do pessoal empregado no circo. — Ele fez uma pausa. Através da capa de chuva, Jo podia sentir os dedos firmes em seus braços.

— Mais alguma coisa? — quis saber, tentando parecer entediada.

Por um momento, houve apenas o som da chuva batendo no chão e se transformando em poças.

— Sim — disse Keane, com calma. — Acho melhor resolver logo isso.

Os instintos de Jo eram aguçados, mas estavam perto demais um do outro para que pudesse evitá-lo, e ele era rápido. O protesto foi abafado pelos lábios de Keane sobre os seus. Os braços ficaram presos nas laterais do corpo quando ele a abraçou com força.

Jo sentira o corpo de um homem contra o seu antes... Trabalhando com os saltadores, praticando com os cavaleiros... Mas nunca com tanta clareza quanto agora. Sentia a presença de Keane em cada fibra de seu ser. O corpo dele era rijo, magro e quente, os braços controlando a força que não vira quando o conhecera. Porém, mais do que isso, eram os lábios dele que a enfeitiçavam. Agora não eram gentis ou curiosos. Tomavam, possuíam e exigiam, sem que ela pudesse evitar uma reação.

Jo esqueceu a chuva, embora continuasse a lhe cair no rosto; esqueceu o frio. O calor lhe surgia de dentro, onde o sangue fluía com mais rapidez, enquanto seu corpo se moldava ao de Keane. Esqueceu-se de si mesma, ou da mulher que pensava ser, e descobriu outra. Quando ele ergueu a boca, Jo manteve os olhos fechados, saboreando os prazeres que se demoravam em seu corpo, convidando novos.

— Mais? — murmurou ele, enquanto as mãos lhe percorriam a espinha, para cima e para baixo, o calor seguindo-as. — Beijar pode ser um passatempo perigoso, Jo — Ele baixou a boca de novo e mordiscou de leve o lábio inferior dela. — Mas você sabe tudo sobre perigo, não sabe? — Beijou-a com força, deixando-a sem fôlego. — Você é corajosa sem seus gatos?

De repente, o coração dela pulou para a garganta. As pernas amoleceram, e um formigamento lhe percorreu a espinha. Jo reconheceu a sensação; era a mesma que sentia quando os leões a enfrentavam. A reação se instalava depois que a porta da jaula de segurança era fechada e a crise havia passado. Então o medo a tomava. Observou os olhos de Keane, ousados e âmbar; sua boca ficou seca. E Jo estremeceu.

— Você está gelada. — A voz dele se tornou bruscamente enérgica. — Não é de se admirar. Vamos para o meu trailer e eu lhe darei um café.

— Não! — O protesto de Jo foi instantâneo e áspero. Sabia que estava vulnerável e sabia também que não tinha experiência para resistir a Keane. Ficar sozinha com ele agora seria um risco grande demais.

Keane a afastou, mas não a soltou. Jo não conseguiu entender a expressão dele enquanto a encarava.

— O que aconteceu agora foi apenas pessoal — disse ele. — Estritamente entre homem e mulher. Acredito que fazer amor deve ser pessoal. Você é uma coisinha adorável, Jovilette, e estou acostumado a tomar o que quero, de um jeito ou de outro.

As palavras dele foram como uma injeção de adrenalina. O queixo de Jo se ergueu e os olhos brilharam.

— Ninguém me *toma*, de um jeito ou outro — falou, em tom calmo, porém furioso. — Se fizer amor com alguém, será apenas porque quero.

— É claro — concordou Keane com um aceno tranquilo. — Ambos sabemos que você irá querer quando a hora chegar. Podemos fazer amor maravilhosamente esta noite, mas acho melhor nos conhecermos um pouco melhor antes.

A boca de Jo tremeu, se abriu e se fechou duas vezes antes que fosse capaz de falar de novo.

— De todos os arrogantes, ultrajantes...

— Verdadeiros — sugeriu Keane, fazendo-a se tornar incoerente de novo. — Mas, no momento, temos negócios a tratar e, embora não me importe de beijar na chuva, prefiro tratar de negócios num clima mais seco. — Ergueu uma das mãos quando Jo começou a protestar. — Já lhe disse: o beijo foi entre um homem e uma mulher. Os assuntos que temos agora são entre o proprietário deste circo e uma artista sob contrato. Entendido?

Jo respirou longa e profundamente para equilibrar a voz num nível normal.

— Entendido. — Sem mais uma palavra, ela se deixou guiar através do chão escorregadio.

Quando chegaram ao trailer de Keane, ele a fez entrar rapidamente. Jo piscou com a mudança de iluminação quando ele acendeu a luz.

— Tire a capa de chuva — disse ele, enérgico, abaixando o zíper antes que ela mesma pudesse realizar a tarefa. Instintivamente, Jo também estendeu a mão para a capa e recuou um passo. Ele apenas ergueu uma sobrancelha e, depois, tirou a própria jaqueta. — Vou pegar o café. — Ele andou por toda a extensão do estreito trailer e desapareceu no canto onde ficava a cozinha minúscula.

Jo tirou lentamente o chapéu que pingava, deixando o cabelo cair, livre, de onde os prendera. Com movimentos automáticos, pendurou a capa e o chapéu em ganchos ao lado da porta. Fazia quase seis meses que não entrava no trailer de Frank e, como uma mulher visitando um velho amigo, procurou mudanças.

A mesma luminária desbotada que Frank usava para ler estava sobre a mesa. Mas estava reta agora, não ligeiramente torta como antes. A almofada que Lillie, do guarda-roupa, fizera para ele num Natal há muito passado ainda cobria o pequeno buraco de queimadura no assento do sofá. Jo duvidava de que Keane soubesse da existência do buraco. O cachimbo de Frank estava, como sempre, na bancada ao lado da janela lateral. Incapaz de resistir, Jo se aproximou para passar o dedo sobre seu cachimbo predileto.

— Você nunca soube prepará-lo direito — murmurou para o fantasma amado. De repente, estremeceu. Virou a cabeça e percebeu que Keane a observava. Jo deixou a mão cair e um rubor raro lhe cobriu o rosto quando se viu pega em um momento de vulnerabilidade.

— Como gosta do seu café, Jo?

Ela engoliu em seco.

— Preto — disse ela, consciente de que ele lhe concedera a privacidade de seus pensamentos. — Apenas preto, obrigada.

Keane acenou e se virou para pegar duas canecas fumegantes.

— Venha. Sente-se. — Ele se dirigiu para a mesa de fórmica, que ficava diante da cozinha. — Melhor tirar seus sapatos. Estão molhados.

Depois de caminhar pelo lugar, Jo se sentou e puxou os cadarços molhados. Keane deixou as duas canecas na mesa e desapareceu nos fundos do trailer. Quando voltou, Jo já estava tomando seu café.

— Aqui — ofereceu-lhe um par de meias.

Surpreendida, Jo balançou a cabeça.

— Não, está tudo bem. Não preciso...

A recusa educada foi interrompida quando ele se ajoelhou aos pés dela.

— Seus pés estão gelados — comentou ele depois de tomá-los nas mãos. Esfregou-os com força enquanto Jo ficava sentada, muda, estranhamente desarmada pelo gesto. O calor se espalhava perigosamente para cima dos tornozelos. — Já que fui responsável por mantê-la na chuva... — disse ele enquanto lhe calçava uma das meias. — É melhor que cuide para que não fique tossindo e espirrando durante o espetáculo de amanhã. Pés tão pequeninos — murmurou, passando o polegar pela curva do tornozelo enquanto ela olhava, sem palavras, para a cabeça abaixada de Keane.

Ainda havia gotas brilhantes de chuva no cabelo dele. Jo se descobriu ansiando por tirá-las e sentir a textura dos fios sob seus dedos. Estava intensamente consciente dele e se perguntou se seria sempre assim quando estivesse perto de Keane. Ele calçou o segundo pé de meia. Os dedos se demoraram na panturrilha de Jo enquanto erguia os olhos para encará-la. Os dela estavam anuviados pela confusão quando se encontraram com os dele. O corpo sobre o qual Jo sempre tivera o mais absoluto controle viajava para fronteiras da mente que ela ainda não explorara.

— Ainda está com frio? — perguntou Keane com voz suave.

Jo umedeceu os lábios e balançou a cabeça.

— Não, estou bem.

Keane deu um sorriso preguiçoso, masculino, que dizia claramente que sabia o efeito que causava nela. E os olhos lhe disseram que gostava disso. Sem sorrir, Jo o observou se levantar.

— Isso não significa que vai vencer — disse ela em voz alta, respondendo à comunicação silenciosa.

— Não, não significa. — O sorriso de Keane permaneceu enquanto o olhar analisava o rosto de Jo de forma possessiva. — Isso apenas torna as coisas mais interessantes. Casos que abrem e fecham rapidamente são invariavelmente tediosos. Nem vale a pena se dar o trabalho de continuar se você venceu antes de ter terminado suas alegações iniciais.

Jo ergueu a caneca de café e bebeu, dando-se tempo para acalmar os nervos.

— Estamos aqui para discutir Direito ou os negócios do circo, doutor? — perguntou ela, deixando o olhar se dirigir de novo para o dele enquanto colocava a caneca de novo sobre a mesa. — Se for Direito, lamento ter de desapontá-lo, mas sei muito pouco sobre isso.

— E sobre o que você sabe, Jovilette? — Keane se sentou na cadeira ao lado dela.

— Gatos — disse ela. — E sobre o Prescott's Circus Colossus. Terei prazer em informar-lhe tudo o que puder sobre ambos.

— Fale-me sobre você — pediu ele e, debruçando-se, tirou um charuto do bolso.

— Sr. Prescott... — começou Jo.

— Keane — interrompeu ele, acendendo o isqueiro. Olhou para a ponta do charuto e, depois, de volta para ela através da névoa fina de fumaça.

— Tive a impressão de que você queria informações sobre o pessoal do circo.

— Você é membro do circo, não é? — Despreocupadamente, Keane jogou fumaça para o teto e seguiu-a com os olhos. — Tenho a intenção de conhecer todo o pessoal e não vejo motivo para não começar por você. — Os olhos voltaram-se para os dela. — Faça a minha vontade.

Jo decidiu adotar a linha de menor resistência.

— É uma história muito curta. — Deu de ombros. — Passei toda a minha vida no circo e, quando tinha idade suficiente, comecei a trabalhar como geralmente útil.

— Como o quê? — Keane parou no movimento de pegar a jarra de café.

— Geralmente útil — repetiu Jo, esperando-o se servir de mais café. — É uma expressão do circo que significa exatamente o que diz. Os pais de Rose, por exemplo, são geralmente úteis. Temos muitos andarilhos que trabalham assim. Também está escrito no contrato de cada artista, depois dos termos específicos, que devem se tornar geralmente úteis. Não há lugar, na maioria dos circos, e certamente não num circo de lona, para os artistas com complexo de estrelas. Fazemos o que é necessário, o que é preciso. Buck, meu assistente, quando é necessário, trabalha num espetáculo secundário e é um dos melhores homens para lidar com a lona. Pete é o melhor mecânico da trupe, Jamie sabe tanto sobre iluminação quanto os melhores eletricistas. — Jo continuou enquanto Keane erguia uma sobrancelha. — É também um acrobata acima da média.

— E você? — Keane interrompeu a linha de raciocínio de Jo. Por um momento, ela relutou, e as mãos que estavam fazendo gestos se tornaram imóveis. — Além de montar um cavalo sem rédeas ou sela, dar ordens a elefantes e enfrentar leões? — Ele ergueu a caneca, observando-a enquanto bebia, com um sorriso nos olhos. Jo franziu a testa, observando-o.

— Está debochando de mim?

O sorriso dele desapareceu imediatamente.

— Não, Jo. Não estou debochando de você.

Ela continuou.

— Em resumo, cuido do zoológico no espetáculo secundário ou cubro alguém que tenha faltado no número aéreo. Não com os acrobatas — explicou, relaxando de novo. — Eles têm de praticar juntos constantemente para preservar o *timing*. Mas algumas vezes atuo na Rede Espanhola, o grande número de fantasia em que as moças se penduram em cordas e fazem movimentos idênticos. Este ano, estão usando fantasias de borboleta.

— Sim, sei qual é. — Keane continuou a observá-la enquanto fumava.

— Mas, de modo geral, Duffy gosta de usar as moças que têm mais curvas. Elas também são coristas no número final.

— Entendi. — Keane esboçou um sorriso. — Me diga, seus pais eram europeus?

— Não. — Divertidamente, Jo balançou a cabeça. — Por que está perguntando?

— Seu nome e a facilidade com que a ouvi falar francês e italiano.

— É fácil aprender línguas num circo — disse Jo.

— Seu sotaque é perfeito nas duas línguas.

— O quê? Ah! — Ela deu de ombros e se moveu distraidamente na cadeira, erguendo os pés para se sentar com as pernas cruzadas. — Temos uma grande variedade de nacionalidades aqui. Frank costumava dizer que o mundo poderia aprender lições com o circo. Temos franceses, italianos, espanhóis, alemães, russos, mexicanos, americanos de toda parte do país e mais.

— Eu sei. É como viajar com as Nações Unidas. — Keane jogou a cinza do charuto no cinzeiro de vidro. — Então aprendeu um pouco de francês e italiano durante todos esses anos. Mas, se viajou com o circo a vida toda, como foi o resto da sua escolaridade?

A insinuação de censura na voz dele a fez erguer o queixo.

— Fui à escola durante as folgas de inverno e tive um tutor enquanto viajávamos. Aprendi o beabá, doutor, e um pouco além disso. Provavelmente sei mais sobre geografia e história mundial do que você e de fontes mais interessantes do que livros escolares. Imagino que sei mais sobre animais do que um estudante de veterinária do sexto período e tenho mais experiência em cuidar deles quando ficam doentes. Falo sete idiomas e...

— Sete? — interrompeu Keane. — Sete idiomas?

— Bem, cinco fluentemente — corrigiu ela a contragosto. — Ainda tenho um pouco de dificuldade com grego e alemão, a menos que possa falar devagar, e ainda não sei ler em grego.

— Quais outras línguas além de francês, italiano e inglês?

— Espanhol e russo. — Jo olhou para o café com a testa franzida. — O russo é o mais útil, pois costumo xingar os gatos em russo durante o número. Nem todo mundo entende palavrões em russo. Assim, é seguro.

A risada de Keane tirou a atenção de Jo do café. Ele estava recostado na cadeira, os olhos dourados de alegria. Jo franziu a testa profundamente.

— Qual é a graça?

— Você, Jovilette. — Atônita, ela começou a se levantar, mas a mão dele em seus ombros a fez parar. — Não, não se ofenda, não posso deixar de achar engraçado você dizer tão tranquilamente que tem uma habilidade da qual muitos professores de línguas se gabariam. — Carinhosamente, passou um dedo sobre a boca mal-humorada dela. — Você me deixa maravilhado o tempo todo. — Depois passou a mão no cabelo dela. — Você resmungou alguma coisa para mim outro dia. Estava me xingando em russo?

— Provavelmente.

Sorrindo, Keane afastou a mão e se acomodou de novo na cadeira.

— Quando começou a trabalhar com os leões?

— Diante de uma plateia? Quando tinha 17 anos. Frank não me deixou começar antes. Era meu tutor legal e o proprietário do circo. Assim, podia mandar em mim nas duas condições. Estava pronta desde os 15.

— Como perdeu seus pais?

A pergunta a pegou desprevenida.

— Num incêndio — A voz era inexpressiva. — Quando eu tinha sete anos.

— Aqui?

Jo sabia que ele não estava se referindo ao local, mas ao circo. Ela tomou um gole do café que esfriava.

— Sim.

— Não tinha outros parentes, uma família?

— O circo é uma família — retorquiu. — Nunca tive a oportunidade de me sentir órfã. E sempre tive Frank.

— Teve? — O sorriso de Keane era ligeiramente sarcástico. — Como era ele como figura paterna?

Jo o observou por um momento. Estaria amargo? Sendo irônico? Ou simplesmente curioso?

— Ele jamais tomou o lugar do meu pai — respondeu calmamente. — Nunca tentou, porque nenhum de nós queria isso. Éramos amigos, o mais próximo que amigos podem ser, mas eu já tinha um pai e ele, um filho. Não estávamos procurando por substitutos. Você não se parece nem um pouco com ele, sabia?

— É, eu sei — disse Keane, dando de ombros.

— Ele tinha um rosto confortante, cheio de rugas e dobras. — Jo sorriu, pensando na fisionomia de Frank enquanto passava um dedo pela borda da caneca. — Era moreno, também, e seu cabelo foi começando a ficar grisalho apenas quando... — A voz desapareceu, então ela se controlou com um movimento rápido da cabeça. — Mas sua voz é igual à dele. Tinha uma voz realmente linda. E, agora, vou lhe fazer uma pergunta.

A expressão de Keane se tornou atenta. Depois, ele fez um gesto com as costas da mão.

— Vá em frente.

— Por que você está aqui? Perdi a calma quando lhe perguntei antes, mas realmente quero saber. — Era contra sua natureza ser indiscreta, e um pouco do desconforto ficou evidente na voz. — Deve ter lhe causado problemas deixar seu trabalho, mesmo que por algumas semanas.

Keane franziu a testa enquanto observava a ponta do charuto, e apagou-o lentamente.

— Vamos dizer que queria ver em primeira mão o que fascinou tanto meu pai por todos esses anos.

— Você nunca veio quando ele estava vivo. — Jo apertou as mãos debaixo da mesa. — Você nem mesmo se deu ao trabalho de vir ao enterro dele.

— Eu teria sido o pior tipo de hipócrita se tivesse vindo ao funeral, não acha?

— Ele era seu pai. — Os olhos de Jo se tornaram sérios; e o tom de voz, áspero, cheio de reprovação.

— Você é mais inteligente do que isso, Jo — replicou Keane calmamente. — É preciso mais do que um acidente biológico para se tornar um pai, e Frank Prescott era um completo estranho para mim.

— Você tem ressentimento dele. — De repente, Jo se viu dividida entre a lealdade a Frank e a compreensão pelo homem sentado ao lado dela.

— Não. — Keane balançou a cabeça, pensativo. — Não. Acho que tive um ressentimento muito grande enquanto crescia, mas... — Ele deu de ombros, abandonando a ideia. — Fiquei muito dividido com o passar dos anos.

— Ele era um homem bom — afirmou Jo, debruçando-se para a frente como se quisesse forçá-lo a compreender. — Apenas queria dar prazer às pessoas, mostrar a elas um pouco de magia. Talvez ele não tivesse sido feito para ser pai... Alguns homens não são... Mas era bom e gentil. E tinha orgulho de você.

— De mim? — Keane parecia divertido. — Como?

— Ah, você é horrível... — sussurrou Jo, magoada pela atitude imprudente dele. Levantou-se da cadeira, mas, antes que pudesse se afastar, Keane lhe segurou o braço.

— Não, me conte. Estou interessado. — Ele a segurava de leve, mas ela sabia que a mão a apertaria se resistisse.

— Está bem. — Jo jogou a cabeça para o lado para que o cabelo fosse para trás. — Ele assinava um jornal de Chicago que era entregue no escritório da Flórida. Sempre procurava por qualquer menção a você, qualquer artigo sobre um caso no tribunal em que você estivesse envolvido ou sobre uma festa a qual você tivesse ido. Qualquer coisa. Precisa compreender que, para nós, uma coisa escrita é importante. Frank não era um artista, mas era um de nós. Algumas vezes, lia para mim um artigo antes de guardá-lo. Tinha um livro de recortes.

Jo soltou o braço e se afastou de Keane, dirigindo-se para o quarto. O grande baú de madeira estava onde sempre estivera, aos pés da cama de Frank. Jo ajoelhou-se e o abriu.

— É aqui que guardava as coisas importantes para ele. — Jo começou a procurar entre os papéis e os objetos rapidamente. Até então, não tivera coragem para mexer no baú. Keane estava em pé à porta e a observava. — Ele o chamava de caixa de lembranças. — Jogou o cabelo para trás, aborrecida. Depois, continuou a busca. — Ele dizia que as lembranças eram a recompensa por ficar velho. Aqui está.

Jo tirou um livro de recortes com a capa de couro verde-escuro. Então, sentou-se nos calcanhares e, em silêncio, estendeu-o para Keane. Após um momento, ele atravessou o quarto e o pegou. Jo podia ouvir a chuva caindo enquanto seus olhares se cruzaram. A expressão dele era indecifrável quando abriu o livro. O som das páginas sendo viradas se uniu ao da chuva.

— Que homem estranho ele deve ter sido — murmurou Keane — Para fazer um livro de recortes sobre um filho que jamais conheceu... — Não havia rancor em sua voz. — O que ele era? — perguntou de súbito, voltando os olhos para Jo.

— Um sonhador — respondeu. — O relógio dele estava sempre cinco minutos atrasado. Se pendurasse um quadro na parede, ficava torto, e ele nunca o consertava porque não percebia. Estava sempre pensando sobre o amanhã. Acho que foi por isso que manteve o ontem neste baú. — Jo olhou para baixo e começou a arrumar a confusão que fizera ao procurar pelo livro. Alguma coisa vermelha lhe chamou a atenção. Estendeu a mão, e os dedos encontraram uma forma familiar. Jo hesitou e tirou a velha boneca do baú.

Era uma lamentável peça de plástico e seda desbotada, com o rosto quase todo apagado. Um dos braços fora arrancado, deixando uma manga vazia. O cabelo dourado estava desarrumado, mas a cor era viva sob a boina vermelha. Os pés eram cobertos por sapatilhas de balé pintadas. Lágrimas encheram os olhos de Jo enquanto ela fazia um som suave de alegria e desespero.

— O que é? — perguntou Keane, olhando para baixo e vendo-a apertar a bailarina danificada junto ao peito.

— Nada — respondeu com voz trêmula enquanto se levantava rapidamente. — Tenho que ir. — Embora tentasse, Jo não conseguiu guardar a boneca de volta no baú. Engoliu o choro. Não queria revelar suas emoções diante daqueles olhos dourados e inteligentes. Talvez ele se mostrasse cínico ou, pior, fizesse graça.

— Posso ficar com isso, por favor? — Teve cuidado com o tom do pedido.

Lentamente, Keane se aproximou dela e lhe tomou o queixo na mão.

— Parece que já é seu.

— Era. — Os dedos se apertaram na cintura da boneca. — Não sabia que Frank a tinha guardado. Por favor... — sussurrou Jo, com as emoções já perigosamente alteradas. Podia sentir a necessidade de encostar a cabeça no ombro dele. A noite tinha sido devastadora para seus sentimentos, alcançando o auge agora com a descoberta do objeto mais precioso da sua infância. Sabia que, se não fugisse, procuraria conforto nos braços dele. Então, a fraqueza a amedrontou. — Me solte.

Por um momento, Jo viu recusa nos olhos dele. Depois, Keane deu um passo para o lado. Jo deixou escapar um suspiro trêmulo, suave.

— Vou acompanhá-la até seu trailer.

— Não — disse ela depressa até demais. — Não é necessário — replicou, passando por ele em direção à cozinha. Sentou-se e calçou os sapatos, abalada demais para se lembrar de que ainda estava usando as meias dele. — Não há motivo para nós dois nos molharmos de novo. — Falava sem pensar, sabendo que ele observava seus movimentos rápidos, mas incapaz de parar. — E vou ver meus gatos antes de me deitar e... — parou quando ele lhe segurou os ombros e a fez se levantar.

— E você não quer correr o risco de ficar sozinha comigo no seu trailer porque posso mudar de ideia.

Uma negativa áspera quase escapou dos lábios dela, mas o reconhecimento nos olhos dele a deteve.

— Sim — admitiu. — Isso também.

Keane afastou o cabelo dela da nuca e balançou a cabeça. Beijou-lhe a ponta do nariz e se afastou para pegar o chapéu e a capa dos ganchos. Com cautela, Jo o seguiu. Quando Keane abriu a capa, ela se virou e enfiou os braços nas mangas. Antes que pudesse agradecer, ele a girou e fechou o zíper. Por um momento, os dedos dele se demoraram no pescoço dela, os olhos nos seus. Segurando-lhe o cabelo, enrolou-o no alto da cabeça e colocou o chapéu nela. Os gestos eram inocentes, mas Jo se percebeu abalada por uma sensação de intimidade que jamais experimentara.

— Vejo você amanhã — disse ele, abaixando a aba do chapéu sobre os olhos dela.

Jo acenou. Segurando a boneca contra o peito, ela abriu a porta. O som da chuva aumentou.

— Boa noite — murmurou, e desapareceu rapidamente na noite.

Capítulo Cinco

O cheiro da manhã era limpo. No novo acampamento, um arco-íris brilhava nas poças. Finalmente o céu estava azul, com apenas algumas nuvens brancas flutuando em sua superfície.

Na tenda da cozinha, um barulhento café da manhã estava sendo servido. Percebendo que não tinha fome, Jo nem apareceu para comer. Estava inquieta e tensa. Não importava o quanto se esforçasse para disciplinar a mente: os pensamentos sempre voltavam para Keane Prescott e para a noite em que haviam passado juntos. Jo lembrava-se de tudo, desde a paixão rápida do beijo na chuva até a calma da voz dele quando lhe desejara boa noite. Era estranho, pensou. Sempre que começava a conversar com ele esquecia que era o proprietário, que era o filho de Frank.

Era forçada sempre a lembrar a si mesma de seus respectivos lugares.

Mergulhada em pensamentos, Jo vestiu a malha de acrobata. Era verdade, admitiu, que fracassara em impedir que o relacionamento entre eles se tornasse pessoal. Achava difícil controlar o impulso de rir com ele, partilhar uma brincadeira, abrir a porta para a magia do circo para o advogado. Se Keane pudesse senti-la, pensou, compreenderia. Embora admitisse o interesse por ele em particular, não encontrava um motivo para o interesse dele nela. *Por que eu?*, perguntou-se, balançando a cabeça.

Virando-se, abriu o guarda-roupa e se olhou no espelho de corpo inteiro. Viu uma mulher um pouco menor do que a altura mediana, com um corpo sem as curvas generosas das coristas de Duffy. As pernas, concluiu, não eram ruins. Eram longas e bem-feitas, com coxas finas. Os quadris eram estreitos, mais parecidos, pensou ela, fazendo bico, com os de um menino do que com os de uma mulher; e quase não tinha busto. Conhecia muitas mulheres do circo que eram mais atraentes, e uma dúzia com mais experiência.

Jo não conseguia ver nada no espelho que pudesse atrair um sofisticado advogado de Chicago. Não percebeu a honestidade que brilhava nos olhos verdes, de formato exótico, ou a força em seu queixo ou a boca cheia de promessas. Viu o toque de cigana na pele dourada e no cabelo negro, mas continuou inconsciente da atração que surgia de alguma coisa selvagem e não domesticada bem abaixo da superfície. A malha preta simples mostrava o corpo esguio e ágil com perfeição, mas Jo não valorizou o brilho suave de cetim de sua pele. Estava franzindo a testa quando puxou o cabelo e começou a trançá-lo.

Keane devia conhecer dezenas de mulheres, pensou ela enquanto as mãos trabalhavam para prender o cabelo espesso. Provavelmente levava uma diferente cada noite para jantar. Deviam usar roupas lindas e perfumes caros, continuou, torturando-se com o pensamento. Teriam nomes como Laura e Patrícia e riam baixinho e com educação. Jo ergueu uma sobrancelha ao reflexo no espelho e deu uma risada baixa e leve. Franziu a testa ao som oco que produzira. Conversariam sobre amigos comuns, os Wallace ou os Jameson, à luz de vela e tomando vinho Beaujolais. E, quando Keane leva a mais bela das mulheres para casa, ouvem Chopin e tomam conhaque diante da lareira e, depois, fazem amor. Jo sentiu um aperto estranho no estômago, mas continuou a fantasia até o fim. A dama encantadora é experiente, apaixonada e liberada; a pele é macia e branca. Quando ele vai embora, ela não fica arrasada, mas serena; nem mesmo se importa se ele a ama ou não.

Jo olhou para a mulher no espelho e viu que o rosto estava molhado. Com um grito de frustração, bateu a porta com força. *O que há de errado comigo?*, perguntou-se, limpando todos os resquícios de lágrimas do rosto. *Não sou eu mesma há dias! Preciso me livrar desse... Desse... O que quer que seja.*

Calçando os sapatos de ginástica e jogando um roupão sobre um braço, Jo saiu rapidamente do trailer.

Andou com cuidado, evitando as poças e qualquer especulação a mais sobre a vida amorosa de Keane Prescott. Antes de chegar à metade do caminho, encontrou-se com Rose. Pela expressão no rosto dela, viu que estava furiosa.

— Oi, Rose — disse, afastando-se estrategicamente para o lado quando a encantadora de serpentes pisou com força numa poça de água.

— Ele é incorrigível — declarou Rose, a voz irritada. — Estou lhe dizendo — continuou, balançando um dedo para Jo. — Dessa vez, acabou. Por que devo perder meu tempo?

— Você tem sido paciente, de verdade — concordou Jo, decidindo que o melhor caminho era a compreensão. — É mais do que ele merece.

— Paciente? — Rose ergueu dramaticamente a mão para o peito. — Tenho sido uma santa. Mas até uma santa tem limites! — Jogou o cabelo para as costas e suspirou. — *Adiós.* Acho que minha mãe está me chamando.

Jo continuou o caminho para a Grande Tenda, diante da qual Jamie andava de um lado para o outro, as mãos nos bolsos.

— Ela é louca — resmungou, parou e abriu os braços. Tinha a aparência de um homem maltratado e inocente. Jo deu de ombros. Balançando a cabeça, Jamie se afastou, repetindo: — Ela é louca.

Jo observou-o até ele desaparecer e correu para a Grande Tenda, onde viu Carmen olhando com adoração Vito praticar um novo número no arame inclinado. A tenda ecoava com os sons de ensaios: vozes e pulos, o barulho de redes, os latidos dos cachorros palhaços. No primeiro círculo, Jo viu os Seis Beirots se preparando para seu número acrobático.

Contente com seu *timing*, Jo atravessou toda a arena. Um assobio soou sobre sua cabeça, e ela olhou para cima e acenou amigavelmente para Vito. Ele gritou de uma altura de cinco metros acima dela, enquanto se balançava em um arame estreito que fazia um ângulo de 45 graus.

— Ei, bonequinha! Você tem um traseiro lindo. É quase tão bonita quanto eu.

— Ninguém é bonito quanto você, Vito — gritou ela de volta.

— Ah, eu sei. — Com um suspiro pesado, ele girou no arame com agilidade. — Mas aprendi a conviver com isso. — Piscou-lhe o olho com um ar lascivo. — Quando vai à cidade comigo, gracinha? — perguntou como sempre fazia.

— Quando você ensinar meus gatos a andarem no arame — respondeu Jo, também como sempre.

Vito riu e começou a dançar um cha-cha-chá sobre o arame. Carmen lançou um olhar feroz para Jo. Ela deve estar mesmo apaixonada, pensou, se levava a sério os flertes brincalhões de Vito. Parando ao lado dela, Jo se debruçou e disse num sussurro:

— Ele cairia do arame se eu dissesse que iria.

— Eu iria — disse Carmen, fazendo um biquinho adorável. — Era só ele me convidar.

Jo balançou a cabeça, perguntando-se por que romances eram invariavelmente complicados. Era uma sorte não ter esse problema. Dando a Carmen uma palmadinha encorajadora no ombro, Jo continuou o caminho em direção ao primeiro círculo.

Os Seis Beirots eram irmãos. Todos tinham estatura baixa e eram homens morenos que haviam imigrado da Bélgica. Jo treinava com eles com frequência, para se manter ágil e com os reflexos afiados. Gostava de todos eles, conhecia suas esposas e filhos e compreendia sua mistura única de francês e inglês.

Raoul era o mais velho e mais musculoso dos seis. Por causa de sua estrutura e sua força, era a base da pirâmide humana que formavam. Foi ele que viu Jo primeiro e ergueu a mão num cumprimento.

— *Alô.* — Sorriu ele e passou a palma pela cabeça, que começava a apresentar sinais de calvície. — Vai saltar?

Jo riu e deu uma rápida cambalhota para dentro do círculo. Mostrou-lhes a língua quando a crítica unânime foi "malfeita".

— Preciso apenas aquecer — disse ela, fingindo um ar de orgulho ferido. — Meus músculos precisam ser alongados.

Pelos trinta minutos seguintes, Jo treinou com eles, fazendo alongamentos e flexões, exercícios para o torso e para a expansão dos pulmões. Seus músculos se aqueceram e perderam a tensão; o coração batia num ritmo tranquilo. Sentiu-se cheia de energia e com a mente clara. Devido ao humor leve, Jo foi facilmente convencida a fazer algumas acrobacias. Deixando para os especialistas os movimentos mais complicados, ela apenas fez alguns saltos mortais simples, cambalhotas e saltos laterais aos comandos de Raoul. Ficou por trinta segundos no alto do globo que rolava e recebeu vaias dos amigos quando desceu.

Afastou-se quando eles começaram os saltos. Um depois do outro, alinharam-se para correr pela rampa, pular no trampolim e se jogar no ar para contorcer e dar um salto mortal antes de caírem no tapete. Falavam em francês enquanto gritavam uns com os outros.

— Certo, Jo — Raoul fez um gesto com a mão. — Sua vez.

— Ah, não. — Ela balançou a cabeça e estendeu a mão para o roupão. — Não mesmo. — Houve um coro de desafios e encorajamentos em francês.

— Preciso dar vitaminas para os meus gatos — disse ela ainda balançando a cabeça.

— Vamos, Jo. É divertido. — Raoul sorriu e arqueou as sobrancelhas. — Não gosta de voar? — Quando ela olhou para a rampa, Raoul sabia que estava tentada.

— Dê um bom impulso — disse ele. — Faça um salto mortal para a frente e aterrisse nos meus ombros. — Bateu nos ombros para mostrar a capacidade de realizar o trabalho.

Jo sorriu e mordeu levemente o lábio inferior. Havia muito tempo que não subia aos trapézios e realmente voava. Parecia divertido, mas lançou a Raoul um olhar severo.

— Você vai me pegar?

— Raoul jamais erra — disse ele, orgulhoso. Então olhou para os irmãos. — *N'est-ce pas?* — Os irmãos deram de ombros e reviraram os olhos para o teto com resmungos incompreensíveis, e Raoul acenou para eles com as costas da mão.

Sabendo que ele era realmente eficiente no que fazia, Jo se aproximou da rampa. Mesmo assim, lançou-lhe um último olhar de advertência.

— Você me pega — ordenou, balançando o dedo para ele.

— *Chérie...* — Ele ficou em posição com um movimento elegante da mão. — É mamão com mel.

— Mamão com *açúcar* — corrigiu Jo; respirou fundo, prendeu a respiração e correu. Quando pulou do trampolim, fez o salto mortal e viu a Grande Tenda de cabeça para baixo. Sentiu-se bem. Quando a tenda começou a voltar à posição, ela se endireitou para aterrissar, mantendo o corpo solto. Seus pés bateram nos ombros poderosos de Raoul, e ela perdeu o equilíbrio por um segundo antes que ele segurasse seus tornozelos com firmeza. Endireitando a postura, Jo ergueu os dois braços com estilo enquanto recebia aplausos e assobios exagerados. Pulou agilmente para o chão, enquanto Raoul lhe segurava a cintura para lhe dar apoio.

— Quando quer se juntar ao número? — perguntou ele, dando-lhe uma palmadinha amigável no traseiro. — Nós a colocaremos para o mastro rolante.

— Está tudo bem. — Sorrindo, Jo pegou o roupão. — Vou ficar com meus gatos.

Depois de um aceno alegre com a mão, vestiu um braço do roupão e começou a correr pela pista do hipódromo. Parou de repente quando viu Keane encostado na grade dos assentos da frente.

— Sensacional — disse ele. Depois endireitou-se para se encontrar com ela. — Mas supõe-se que o circo seja sensacional, não é? — Ergueu a outra manga do roupão e passou o braço dela para dentro. — Há alguma coisa que você não consiga fazer?

— Centenas de coisas — respondeu Jo, levando-o a sério. — Sou realmente proficiente com os animais. O resto é apenas showzinho e brincadeira.

— Você me pareceu maravilhosamente proficiente na última meia hora — replicou ele enquanto puxava a trança que ficara presa pelo roupão.

— Está aqui há tanto tempo assim?

— Cheguei quando Vito estava fazendo um comentário sobre o seu lindo traseiro.

— Ah! — Jo riu, olhando para Vito, que estava agora flertando com Carmen. — Ele é louco.

— Talvez — concordou Keane, segurando-lhe o braço. — Mas a visão dele é muito boa. Gostaria de tomar um café?

Jo se lembrou imediatamente da noite anterior. Temerosa de ser atraída de novo pelo charme dele, balançou a cabeça.

— Preciso me trocar — disse ela, amarrando o roupão. — Temos um espetáculo às duas horas e quero ensaiar os gatos.

— É incrível quanto tempo vocês devotam à sua arte. Os ensaios parecem terminar apenas quando o espetáculo começa e um espetáculo parece levar a mais ensaios.

Jo relaxou quando ele chamou de arte as habilidades circenses.

— Artistas sempre procuram dar mais de si mesmos. É uma luta constante pela perfeição. Mesmo quando um número se desenrola maravilhosamente bem e você sabe disso, começa a pensar sobre a próxima vez. Como posso fazer isso melhor ou maior ou mais alto ou mais depressa?

— Nunca satisfeitos? — perguntou Keane quando saíram à luz do sol.

— Se ficássemos, não haveria muita razão para voltar e fazer tudo de novo.

Ele acenou, mas havia alguma coisa distraída no gesto, como se a mente estivesse em outro lugar.

— Preciso ir embora esta tarde — disse quase que para si mesmo.

— Ir embora? — O coração de Jo quase parou. Sentiu uma tristeza tão grande e tão inesperada que foi obrigada a esperar um momento para se controlar. — De volta a Chicago?

— *Hum?* — Keane parou e virou o rosto para o dela. — Ah, sim.

— E o circo? — perguntou Jo, totalmente envergonhada por essa não ter sido sua primeira preocupação. Compreendeu, de súbito, que não queria que ele fosse embora.

Keane franziu a testa por um momento. Depois, continuou a andar.

— Não vejo sentido em perturbar a programação deste ano. — A voz agora era enérgica e sem emoção.

— Deste ano? — repetiu Jo com cautela.

Keane se virou e olhou para ela.

— Não decidi o destino final do circo, mas não farei nada até o fim do verão.

— Entendi. — Ela deixou escapar um longo suspiro. — Então temos um pouco mais de tempo.

— Sim, é o que parece — concordou ele.

Jo ficou em silêncio por um momento, mas não conseguiu se impedir de perguntar:

— Então você não... Quero dizer... Vai ficar em Chicago agora? Não vai mais viajar conosco?

Evitaram uma poça de água antes que Keane respondesse.

— Sinto que não posso tomar uma decisão correta sobre o circo depois de tão pouco tempo. Há uma complicação num dos meus casos que precisa de mim pessoalmente, mas devo estar de volta dentro de uma ou duas semanas.

O alívio quase a sufocou. *Ele volta,* uma voz gritava em sua mente. *Não devia ter importância para você,* outra sussurrou.

— Estaremos na Carolina do Sul daqui a duas semanas — disse Jo como quem não quer nada.

Haviam chegado ao trailer dela e Jo pegou a maçaneta antes de se virar para ele. *Só quero que ele compreenda o que este circo significa,* disse a si mesma enquanto erguia os olhos para os dele. *Este é o único motivo por que quero que volte.* Saber que estava mentindo para si mesma tornava difícil manter o olhar firme.

Keane sorriu, deixando que os olhos viajassem pelo rosto dela.

— Sim, Duffy me deu o roteiro. Eu os encontrarei. Não vai me convidar para entrar?

— Entrar? — repetiu Jo. — Ah, não, eu lhe disse. Tenho que me trocar e... — Ele deu um passo à frente enquanto Jo falava. Alguma coisa nos olhos de Keane mostrou-lhe que precisava ser firme. Vira uma expressão semelhante nos olhos de um leão que pensava em tomar uma liberdade perigosa. — Simplesmente não tenho tempo agora. Se eu não o vir antes de ir embora, faça uma boa viagem. — Virou-se e abriu a porta. Percebendo um movimento, voltou-se, mas não antes que ele a tivesse empurrado para dentro e entrado atrás dela. Quando a porta se fechou às costas dele, Jo se sentiu tomada de fúria. Não gostava de ser enganada. — Diga-me, doutor: conhece uma lei sobre arrombamento e invasão?

— Não se aplica, pois não havia uma fechadura envolvida — disse ele com calma. — Olhou em volta, para a atraente simplicidade do trailer de Jo. As cores eram em suaves tons de terra; os objetos simples, sem babados. O piso de linóleo bege e marrom estava impecavelmente limpo. Era igual ao trailer de Frank, mas ali havia toques mais femininos. As janelas tinham cortinas e não venezianas; um sofá verde-floresta estava coberto por almofadas grandes e confortáveis; dentro de um vaso estreito de vidro, havia um buquê de flores silvestres.

Sem fazer comentários, Keane se aproximou de um baú de laca negra que ficava do lado oposto da porta. Sobre ele, havia um livro que pegou, enquanto Jo resmungava, cheia de raiva.

— *O conde de Monte Cristo* — leu em voz alta e abriu-o. — Em francês — declarou, erguendo uma sobrancelha.

— Foi escrito em francês — resmungou Jo, tirando o livro das mãos dele. — Assim, leio em francês. — Aborrecida, ergueu a tampa do baú, preparando-se para guardar o livro e tirá-lo do alcance dele.

— Deus do céu, são todos seus? — Keane impediu que ela abaixasse a tampa. Então, movimentou os livros com a outra mão. — Tolstói, Cervantes, Voltaire, Steinbeck... Quando tem tempo para ler tudo isso neste mundo louco de trabalho 24 horas por dia, sete dias por semana?

— Arranjo tempo — disse Jo, a fúria fazendo a voz tremer e os olhos brilharem. — Meu *próprio* tempo. Só porque é o proprietário, isso não significa que pode invadir meu trailer e revirar minhas coisas e exigir que preste contas do meu tempo. Este é o meu trailer. Sou dona de tudo o que está dentro dele.

— Pare — Keane interrompeu a torrente de palavras. — Não estava exigindo uma prestação de contas do seu tempo, apenas fiquei atônito por você encontrar tempo suficiente para esse tipo de leitura. Como não posso dizer que sou um especialista em seu trabalho, seria muito idiota da minha parte criticar o tempo que passa nele. Segundo — continuou, dando um passo em direção a ela, e, embora Jo enrijecesse antecipadamente, não a tocou. — Peço desculpas por "revirar suas coisas", como você descreveu. Estava interessado por diversos motivos, um deles por ter uma grande biblioteca. Parece que temos um interesse em comum, goste você ou não. Quanto a invadir seu trailer, eu me declaro culpado. Se decidir me processar, posso recomendar alguns advogados abomináveis que cobram muito caro.

O último comentário fez Jo sorrir, relutantemente.

— Pensarei no assunto. — Com mais cuidado do que pretendia, Jo abaixou a tampa do baú e lembrou que havia sido indelicada. — Desculpe — disse ela, virando-se para ele.

Os olhos de Keane demonstraram curiosidade.

— Pelo quê?

— Por ter sido grossa com você. — Ergueu os ombros. Depois, deixou-os cair. — Pensei que estava me criticando. Acho que sou sensível demais.

Diversos segundos se passaram antes que ele falasse.

— As desculpas desnecessárias serão aceitas se você me responder uma pergunta.

Intrigada, Jo franziu a testa para ele.

— Que pergunta?

— O Tolstói é em russo?

Jo riu, tirando mechas soltas de cabelo do rosto.

— Sim, é.

Keane sorriu, encantado com as duas minúsculas covinhas que se formavam nos cantos da boca de Jo quando ela ria.

— Sabia que, embora você seja bonita de qualquer maneira, fica ainda mais linda quando sorri?

A risada de Jo congelou. Não estava acostumada a esse tipo de elogio e observou Keane, sem ter ideia de como reagir. Ocorreu-lhe que qualquer uma das mulheres sofisticadas que imaginara naquela manhã saberia exatamente o que dizer. Teria sido capaz de sorrir ou rir enquanto respondia com um comentário adequado. Aquela mulher não era Jovilette Wilder, ela admitiu e, com a expressão séria, a treinadora de felinos manteve os olhos nos dele.

— Não sei flertar — disse simplesmente.

Keane jogou a cabeça para o lado e uma expressão surgiu e desapareceu de seus olhos antes que Jo pudesse analisá-la. Ele deu um passo em sua direção.

— Não estava flertando com você, Jo. Estava fazendo um comentário. Ninguém lhe disse antes que você é linda?

Ele estava perto demais agora, mas, no pequeno trailer, Jo não tinha muito espaço de manobra. Foi forçada a afastar a cabeça para trás para manter os olhos nos dele.

— Não da maneira como você disse. — Rapidamente colocou a mão no peito dele para manter a pequena mas importante distância entre eles. Sabia que estava presa, mas isso não significava que tinha sido derrotada.

Com delicadeza, Keane ergueu a mão relutante dela, virou-a de palma para cima e a levou aos lábios. Jo deixou escapar um suspiro involuntário.

— São mãos tão requintadas — murmurou ele, traçando a fina linha azul no dorso das mãos. — Ossos finos, dedos longos. E as palmas mostram trabalho pesado, o que as torna mais interessantes. — Ergueu os olhos para o rosto dela. — Como você.

A voz de Jo ficou rouca, mas não podia fazer nada para mudar isso.

— Não sei o que devo responder quando me diz coisas assim. — Sob o roupão, os seios subiam e desciam com o coração disparado — Prefiro que não as diga.

— Prefere mesmo? — Keane passou as costas da mão ao longo do queixo de Jo. — É uma pena porque, quanto mais olho para você, mais descubro coisas que quero dizer. Você é uma criatura encantadora, Jovilette.

— Tenho que me trocar — disse ela na voz mais firme que conseguiu. — Você precisa ir.

— Isso, infelizmente, é verdade — murmurou Keane, segurando o queixo dela com a mão. — Vamos, me dê um beijo de adeus.

Jo enrijeceu.

— Não acho que isso seja necessário...

— Você não podia estar mais enganada — disse ele enquanto abaixava a cabeça em direção à dela. — É extremamente necessário. — Num leve e provocante sussurro, os lábios se encontraram. Os braços a envolveram, levando-a para mais perto de seu corpo com a menor das pressões. — Me beije, Jo — ordenou baixinho. — Me abrace e me beije.

Por mais um momento ela resistiu, mas a atração da boca de Keane mordiscando a sua era forte demais. Deixando o instinto comandar a vontade, Jo ergueu os braços e envolveu o pescoço dele. Os lábios se moveram junto aos de Keane, abrindo-se e se oferecendo.

A rendição pareceu alimentar o fogo da paixão dele. O beijo se intensificou, os braços a esmagaram contra ele. O leve gemido de Jo não foi de protesto, mas de encantamento. Seus dedos encontraram o caminho para o cabelo dele, misturando-se aos fios, puxando-o para mais perto. Jo sentiu o roupão se abrir, e as mãos dele subiram por seu torso. Ela estremeceu ao toque, sentindo a pele esquentar, depois esfriar e depois esquentar de novo em rápida sucessão. Quando a mão lhe tomou o seio, ela recuou, ofegante.

— Calma — murmurou ele contra a boca de Jo. As mãos de Keane a acariciaram suavemente, convencendo-a a relaxar de novo. Beijou-lhe os cantos da boca, esperando até ela se tranquilizar antes de beijá-la com voracidade outra vez.

A malha fina moldava-lhe o corpo, mas não era uma barreira para os dedos ágeis. Moviam-se lentamente, demorando-se sobre o mamilo, explorando a maciez, descendo para a cintura e, então, traçando-lhe os quadris e as coxas.

Nenhum homem jamais a tocara tão livremente. Jo era incapaz de fazê-lo parar, incapaz de lutar contra a necessidade de sentir aqueles toques de novo. Seria isso a paixão sobre a qual lera tantas vezes? A paixão que levava os homens à guerra, a lutar contra toda a razão, a arriscar tudo? Sentia que podia compreendê-la agora. Agarrou-se a ele enquanto Keane lhe ensinava, e ela aprendia, os desejos do próprio corpo. A boca de Jo se tornou mais faminta pelo gosto dele. Tinha certeza de que permanecera em seus braços enquanto as estações mudavam, as décadas passavam, enquanto mundos eram destruídos e reconstruídos.

Mas, quando ele se afastou, Jo viu o mesmo sol entrando pela janela. A eternidade durara apenas alguns minutos.

Incapaz de falar, apenas encarou-o, os olhos escuros e conscientes, o rosto ruborizado pelo desejo. Mas, de alguma forma, embora a boca ainda formigasse com o beijo dele, a inocência juvenil permanecia. Os olhos de Keane baixaram para os lábios de Jo enquanto as mãos permaneciam em suas costas.

— É difícil de acreditar que sou o primeiro homem a tocá-la — murmurou, e os olhos se ergueram para os dela. — E desesperadamente excitante. Particularmente quando descubro que tem uma paixão que combina com sua aparência. Acho que gostaria de fazer amor com você primeiro à luz do dia, para observar esse seu controle maravilhoso desaparecer, camada por camada. Teremos que conversar sobre isso quando eu voltar.

Jo obrigou as pernas a readquirirem as forças, sabendo que estava prestes a entregar-se a ele.

— Eu o deixei me beijar e me tocar, mas isso não significa que permitirei que faça amor comigo. — Ergueu o queixo, sentindo a confiança em si mesma voltar. — Se fizer amor com você, é porque quero, não porque você me mandou.

A expressão nos olhos de Keane mudou.

— Justo — concordou, fazendo que sim com a cabeça. — Simplesmente será minha tarefa fazer você querer. — Tomou-lhe o queixo nas mãos e abaixou a boca para a dela, num beijo rápido. Como fizera da primeira vez, Jo manteve os olhos abertos e o observou. Sentiu-o sorrir contra seus lábios antes de erguer a cabeça. — Você é a mulher mais fascinante que já conheci. — Ele se virou e se dirigiu para a saída. — Eu voltarei — disse, dando um aceno distraído antes de fechar a porta.

Atônita, Jo olhou para o espaço vazio. *Fascinante?* Repetiu, traçando os lábios ainda quentes com as pontas dos dedos. Correu para a janela e, ajoelhando-se no sofá debaixo dela, observou Keane se afastar.

Percebeu, assustada, que já sentia falta dele.

Capítulo Seis

Jo descobriu que semanas podiam se arrastar como anos. Durante a segunda semana da ausência de Keane, procurava por ele em cada novo acampamento. Observava as multidões de pessoas das cidades que iam assistir ao levantamento da Grande Tenda e, à medida que os dias passavam, dividia-se entre a raiva e o desespero pela demora daquele homem. Apenas na jaula conseguia se concentrar, sabendo que não podia se dar ao luxo de ser de outra maneira. Mas, depois de cada número, Jo achava mais difícil relaxar.

A cada manhã, tinha certeza de que ele voltaria naquele dia. A cada noite, deitava-se inquieta, esperando pelo dia seguinte chegar.

A primavera estava no auge. Os acampamentos exalavam o cheiro da grama alta. Quase sempre havia flores silvestres amassadas pelos pés, liberando suas fragrâncias fortes no ar. Mesmo enquanto a caravana seguia para o norte, os dias eram cada vez mais quentes e longos. Enquanto os outros membros do circo desfrutavam o ar quente e os céus providencialmente azuis, Jo vivia com os nervos à flor da pele.

Ocorreu-lhe que, depois de retornar para sua vida em Chicago, Keane decidira não voltar ao circo. Em Chicago, tinha conforto, riqueza e mulheres elegantes. Por que voltaria? Jo tentou não pensar no destino final do circo, sem querer enfrentar a possibilidade de que Keane pudesse encerrar as atividades ao final da temporada. Disse a si mesma que o único motivo pelo qual ansiava pela volta dele era convencê-lo a manter o circo funcionando. Mas a lembrança de estar nos braços de Keane lhe tomava a mente com frequência excessiva. Aos poucos, resignou-se, enchendo o estranho vazio que sentia com o trabalho.

Diversas vezes por semana achava tempo para treinar o ansioso Gerry. No começo, deixou apenas que ele trabalhasse com os filhotes do zoológico, permitindo que, com luvas de couro, brincasse com os animais e os alimentasse. Encorajou-o a lhes ensinar alguns truques simples com a ajuda de pequenos pedaços de carne crua. Jo ficava tão contente quanto ele quando os felinos respondiam à sua paciência e obedeciam.

Ela via potencial em Gerry, na afeição genuína pelos animais e em sua determinação. A preocupação principal de Jo era que ele ainda não desenvolvera um medo saudável. Ainda era indiferente demais e, com a indiferença, vinha o descuido. Quando achou que Gerry havia progredido o bastante, Jo decidiu permitir-lhe dar o passo seguinte no treinamento.

Não havia matinê naquele dia e a Grande Tenda estava cheia de artistas ensaiando. Jo calçou botas e vestiu uma calça cáqui e uma blusa de manga comprida para dentro da calça. Observava Gerry enquanto passava o chicote fino pela mão. Estavam juntos na jaula de segurança enquanto ela lhe dava instruções.

— Certo, Buck vai deixar Merlin entrar pela rampa. Ele é o mais dócil dos gatos, com exceção de Ari. — Jo fez uma pausa e seus olhos ficaram tristes. — Ari não tem mais condições de realizar nem mesmo uma curta sessão de treinamento. — Afastou a tristeza que a ameaçava e continuou: — Merlin o conhece. Sua voz e seu cheiro são familiares para ele. — Gerry acenou e engoliu em seco. — Quando entrarmos, você será minha sombra. Mova-se quando eu me mover e não fale até eu lhe dizer que pode. Se ficar com medo, não corra — Jo segurou o braço do rapaz para dar ênfase. — Isso é *importante*, entendeu? Não corra. Se quiser sair, me diga e eu o levarei para a jaula de segurança.

— Não vou correr, Jo — prometeu ele, enxugando as mãos, úmidas de agitação, na calça jeans.

— Está pronto?

Gerry sorriu e acenou.

— Estou.

Jo abriu a porta que levava para a grande jaula e deixou Gerry passar depois dela antes de fechá-la com segurança. Caminhou até o centro da arena com passos tranquilos, confiantes.

— Faça-o entrar, Buck — pediu, e ouviu o som das grades imediatamente. Merlin entrou sem pressa. Então, pulou para seu pedestal e bocejou antes de olhar para Jo. — Um solo hoje, Merlin — disse ela enquanto andava em direção a ele. — E você é a estrela. Fique comigo — ordenou a Gerry, que apenas ficou parado olhando para o grande felino. Merlin deu um olhar desinteressado para Gerry e esperou.

Com um movimento do braço para cima, ela fez Merlin erguer as patas dianteiras.

— Sabe... — disse Jo ao rapaz atrás dela. — Ensinar um gato a erguer as patas dianteiras é o primeiro truque; a plateia nem mesmo o considera um feito. Fazê-lo se sentar, em geral, é o que vem depois e leva um pouco de tempo — continuou enquanto fazia sinal para Merlin abaixar as patas dianteiras. — É preciso fortalecer os músculos das costas dele primeiro. — De novo, fez um sinal para Merlin se sentar e, depois, com uma ordem rápida, o fez erguer as patas dianteiras no ar e rugir. — Canastrão maravilhoso — disse ela com um sorriso. Depois fez o animal se abaixar de novo. — A deixa básica para cada movimento é sempre dada na mesma posição e com o mesmo tom de voz. É preciso paciência e repetição. Vou fazê-lo descer do pedestal agora. — Jo estalou o chicote contra o piso e Merlin pulou para o chão. — Agora vou manobrá-lo para o ponto da arena onde quero que ele se deite. — Enquanto se movia, Jo garantiu que Gerry se movesse junto com ela. — A jaula é um círculo, com um diâmetro de 12 metros. Você precisa conhecer cada centímetro de cor. Tem que saber exatamente a que distância está das barras o tempo todo. Se você recuar até as barras, não terá espaço para manobrar se houver problema. É um dos maiores erros que um treinador pode cometer. — Ao sinal dela, Merlin se deitou, e, depois, se virou de lado. — Vire-

-se, Merlin — disse ela em tom enérgico, fazendo-o executar uma série de voltas. — Use o nome deles com frequência. Isso os mantêm ligados a você. É preciso conhecer bem cada um dos gatos e suas tendências individuais. — Jo se moveu com Merlin. Então, fez sinal para ele parar. Quando ele rugiu, ela lhe roçou a cabeça com a ponta fixa do chicote. — Eles gostam de ser acariciados como gatos domésticos, mas não são domesticados. É essencial que você jamais confie neles inteiramente e que sempre se lembre de manter o domínio. Você os subjuga com paciência, respeito e força de vontade, não batendo ou gritando, o que não somente é cruel como os incentiva a serem gatos maliciosos e desconfiados. Jamais os humilhe. Eles têm direito a seu orgulho. Você blefa com eles, Gerry — disse ela enquanto erguia os dois braços e fazia Merlin se erguer nas patas traseiras. — O homem é um fator desconhecido e, por isso, usamos felinos silvestres em vez dos criados em cativeiro. Ari é uma exceção. Um animal nascido e criado em cativeiro está familiarizado demais com o homem. Assim, você perde sua vantagem.

Jo se moveu para a frente, mantendo os braços erguidos. Merlin a seguiu, andando nas patas traseiras. Tinha uma altura de dois metros e era muito maior do que sua treinadora.

— Eles podem ter alguma afeição por você e um pouco de respeito, mas não medo. Infelizmente, isso acontece com frequência se um gato passa muito tempo com um treinador. Não ficam mais dóceis quanto mais tempo participam de um número, e sim mais perigosos. Eles o testam o tempo todo. O truque é convencê-los de que você é indestrutível.

Jo fez Merlin descer. O animal bocejou de novo antes que ela o mandasse de volta para o assento.

— Se um deles tenta lhe dar uma patada, tem de fazê-lo parar na mesma hora porque tentarão sem parar, aproximando-se mais a cada vez. Em geral, se um treinador é ferido na jaula, é porque cometeu um erro. Os gatos são rápidos em percebê-los; algumas vezes deixam passar, outras vezes não. Este aí já me deu algumas boas pancadas no ombro de vez em quando. As garras são retiradas, mas sua força é imensa e há sempre a possibilidade de que ele se esqueça de que está brincando. Alguma pergunta?

— Centenas — respondeu Gerry, enxugando a boca com as costas da mão. — Mas não consigo me lembrar de nenhuma agora.

Jo riu e, de novo, acariciou a cabeça de Merlin quando ele rugiu.

— Você se lembrará delas mais tarde. É difícil absorver qualquer coisa da primeira vez, mas você vai lembrar quando relaxar. Certo, você sabe a deixa. Faça-o se sentar.

— Eu?

Jo deu um passo para o lado, dando a Merlin uma visão clara de seu aprendiz.

— Pode ter tanto medo quanto quiser — disse ela com tranquilidade. — Apenas não o mostre na voz. Observe os olhos dele.

Gerry esfregou a palma de uma das mãos na coxa, coberta pelos jeans, e em seguida a ergueu, como vira Jo fazer centenas de vezes.

— Levante — disse ao leão em uma voz relativamente firme.

Merlin observou-o por um momento e, depois, olhou para Jo. Este, os olhos dele disseram claramente, era um amador e não era digno de consideração. Jo manteve o rosto cuidadosamente sem expressão.

— Ele está testando você — disse a Gerry. — Tem experiência e blefar com ele é difícil. Seja firme e, dessa vez, use o nome dele.

Gerry respirou firme e repetiu o sinal de mão.

— Levante-se, Merlin.

Merlin olhou para ele, encarou-o, os olhos cor de âmbar avaliadores.

— De novo — instruiu Jo e ouviu Gerry engolir em seco. — Ponha alguma autoridade em sua voz. Ele acha que você é um fracote.

— Levante-se, Merlin! — repetiu Gerry, aborrecido o suficiente pela observação de Jo para usar uma voz mais dominante. Embora a relutância fosse evidente, Merlin obedeceu. — Ele fez o que mandei — sussurrou Gerry com um suspiro longo e trêmulo. — Ele realmente fez.

— Muito bem — disse Jo, satisfeita com o leão e com seu aprendiz. — Agora faça-o abaixar. — Quando ele conseguiu, Jo o fez tirar Merlin do assento. — Aqui... — Entregou a Gerry o chicote. — Use o cabo para coçar a cabeça dele. Gosta mais atrás da orelha. — Sentiu o leve tremor na mão dele quando pegou o chicote, mas Gerry segurou-o com firmeza enquanto Merlin fechava os olhos e rugia.

Como ele se comportara bem, Jo concedeu a Merlin a liberdade de se roçar nas pernas dela antes de chamar Buck para levá-lo. O som das barras se movendo foi a deixa para o leão sair e, como qualquer artista do circo, ele a aceitou com a cabeça alta.

— Você se saiu muito bem — disse Jo a Gerry quando ficaram sozinhos na jaula.

— Foi sensacional. — Ele lhe entregou o chicote, o cabo molhado do suor das palmas das mãos. — Foi mesmo sensacional. Quando posso fazer de novo?

Jo sorriu e lhe deu uma palmadinha no ombro.

— Logo — prometeu. — Apenas não se esqueça de tudo o que eu lhe disse e venha falar comigo quando se lembrar das perguntas.

— Tudo bem. Obrigado, Jo. — Gerry atravessou a jaula de segurança. — Obrigado mesmo. Agora vou contar ao pessoal.

— Vá em frente. — Jo observou-o sair, pulando sobre a cerca do círculo e correndo para a porta dos fundos. Com um sorriso, recostou-se nas barras. — Eu era assim? — perguntou a Buck, que estava em pé no lado oposto da jaula.

— A primeira vez que você conseguiu fazer um gato se sentar, ouvimos a história por uma semana. Tinha 12 anos e achava que estava pronta para o espetáculo.

Jo riu e, enxugando o chicote molhado na calça, virou-se. Só então o viu em pé atrás dela.

— Keane! — Usou o nome que jurara não usar enquanto a alegria a tomava e resplandecia em seu rosto. No momento em que desistira de vê-lo de novo, lá estava ele. Jo deu dois passos em direção a ele antes de se controlar. — Não sabia que estava de volta. — Apertou o chicote com as duas mãos para se impedir de estendê-las e tocá-lo.

— Acho que você sentiu saudades de mim. — A voz dele era como se lembrava: baixa e suave.

Jo se amaldiçoou por ser tão ingênua e transparente.

— Talvez tenha sentido um pouco — admitiu, cautelosa. — Acho que me acostumei com a sua presença e você demorou mais a voltar do que dissera.

Ele era o mesmo, pensou rapidamente, exatamente o mesmo. Lembrou a si mesma que se passara apenas um mês, embora tivesse parecido anos.

— *Humm*, sim. Tive mais trabalho do que esperava. Você está um pouco pálida — disse, tocando o rosto dela com a ponta dos dedos.

— Acho que é falta de sol — disse ela, mentindo. — Como está Chicago?

Jo precisava afastar a conversa de assuntos pessoais até ter a oportunidade de controlar suas emoções. Vê-lo de repente a deixara confusa.

— Fria — disse ele, fazendo uma longa e completa observação do rosto dela. — Já esteve lá?

— Não, nos apresentamos nas proximidades ao fim da temporada, mas nunca tive tempo para ir à cidade.

Acenando, distraído, Keane olhou para a jaula vazia atrás dela.

— Percebi que está treinando Gerry.

— Sim. — Aliviada por falarem em assuntos profissionais, Jo deixou os músculos dos ombros relaxarem. — Esta foi a primeira vez dele com um gato adulto sem grades entre eles. Está se saindo muito bem.

Keane olhou de volta para ela, os olhos sérios e penetrantes.

— Ele estava tremendo. Percebi de onde estava observando vocês.

— Foi a primeira vez dele... — começou ela, em defesa de Gerry.

— Não o estava criticando — interrompeu Keane com um pouco de impaciência. — Apenas observei que ele estava ao seu lado, tremendo dos pés à cabeça, e você estava totalmente calma e no controle absoluto.

— É meu trabalho ficar no controle — lembrou Jo.

— Aquele leão tem dois metros de altura quando fica em pé nas patas traseiras e você andou diante dele sem qualquer proteção, nem mesmo aquela tradicional cadeira.

— Faço um número de arte — explicou ela. — Não um número de luta.

— Jo, você nunca fica com medo quando está lá?— disse ele tão bruscamente que ela piscou

— Com medo? — repetiu ela, erguendo uma sobrancelha — É claro que tenho medo. Mais medo do que Gerry teve... ou do que você teria.

— Do que você está falando? — quis saber Keane. Jo percebeu com um pouco de curiosidade que ele estava zangado. — Pude ver aquele rapaz suando.

— Era principalmente de agitação — disse Jo, paciente. — Ele ainda não tem experiência para sentir medo de fato. — Ela jogou o cabelo para trás e deu um suspiro profundo. Jo não gostava de falar sobre seus temores com ninguém e achava particularmente difícil fazê-lo com Keane. Só continuou porque sentiu que era necessário que ele compreendesse isso para entender o circo. — O medo real vem de conhecê-los, trabalhar com eles, compreendê-los. Você pode apenas imaginar o que podem fazer com um homem. Eu *sei*. Sei exatamente do que são capazes. A coragem deles é inacreditável, assim como a malícia. Já vi o que podem fazer. — Os olhos dela estavam calmos ao encará-lo. — Meu pai quase perdeu uma perna uma vez. Eu tinha cinco anos, mas me lembro perfeitamente. Ele cometeu um erro e um leão-núbio, de 230 quilos, mergulhou os dentes em sua coxa e o puxou pela arena. Felizmente, o gato se distraiu com uma fêmea no cio. Gatos são imprevisíveis quando estão sob o controle da sexualidade, o que provavelmente foi o que o levou a atacar meu pai. São extremamente ciumentos quando escolhem um parceiro ou uma parceira. Meu pai conseguiu entrar na jaula de segurança antes que qualquer outro leão se interessasse por ele. Não me lembro quantos pontos levou ou quanto tempo precisou para voltar a andar normalmente, mas me lembro da expressão nos olhos do animal. Você aprende rapidamente sobre o medo quando está na jaula, mas o controla, o canaliza ou procura outro tipo de trabalho.

— Então, por quê? — quis saber Keane, e segurou-lhe os ombros antes que ela pudesse se virar. — Por que faz isso? E não me diga que é seu trabalho. Isso não explica nada.

Jo ficou intrigada. Por que ele parecia tão zangado? Os olhos estavam escuros de raiva e os dedos dele afundavam em seus ombros. Como se quisesse extrair dela uma resposta, Keane sacudiu-a de leve.

— Está bem — disse Jo lentamente, ignorando a dor nos ombros. — Em parte é o que você falou, mas não é só isso. É tudo o que conheço, é no que sou boa de verdade. — Enquanto falava, ela lhe observava o rosto, procurando uma explicação para a raiva. Perguntou-se se achava errado da parte dela levar Gerry para dentro da jaula. — Gerry será bom nisso também. Imagino que todos precisam saber que são bons... Realmente bons, em alguma coisa. E gosto de dar às pessoas que vêm me ver o melhor espetáculo que posso. Mas, acima de tudo, imagino que é porque eu os amo. É difícil para um leigo compreender os sentimentos de um treinador por seus animais. Amo a inteligência, a beleza estonteante, a força, o traço inconquistável de selvageria que os separa de cavalos bem treinados. Os leões são excitantes, desafiadores e aterrorizantes.

Keane ficou em silêncio por um momento. Ela viu que os olhos ainda estavam cheios de ira, mas os dedos em seus ombros relaxaram. Jo sentiu a dor onde, no dia seguinte, certamente haveria hematomas.

— Acho que excitação se torna um vício... Difícil de viver sem ela depois que se estabelece.

— Não sei — replicou Jo, grata pela raiva de Keane parecer estar desaparecendo. — Nunca pensei sobre isso.

— Não. Imagino que não teria motivos para pensar. — Com um aceno de cabeça, ele se virou para se afastar.

— Keane. — O nome dele saiu dos lábios antes que pudesse impedir. Quando ele se virou, Jo percebeu que não conseguiria fazer as dezenas de perguntas que lhe passavam pela mente. Havia apenas uma que sentia ter o direito de fazer. — Já decidiu o que vai fazer conosco... Com o circo?

Por um instante, viu a raiva brilhar de novo nos olhos dele.

— Não. — A palavra foi curta e definitiva. Enquanto ele lhe dava as costas de novo, Jo sentiu uma onda de raiva e lhe pegou pelo braço.

— Como pode ser tão duro, tão sem sentimentos? Como pode ser tão indiferente quando tem as vidas de mais de cem pessoas na palma da mão?

Cuidadosamente, ele removeu a mão de seu braço.

— Não me pressione, Jo. — Havia uma advertência nos olhos e na voz dele.

— Não estou tentando pressioná-lo — retorquiu Jo, passando a mão pelo cabelo em sinal de frustração. — Só estou lhe pedindo para ser justo, para ser... bondoso.

— Não me peça nada — ordenou Keane num tom ríspido, autoritário, e o queixo de Jo se ergueu em reação. — Estou aqui e terá que ficar satisfeita com isso, por enquanto.

Jo lutou para controlar a raiva. Não podia negar que, ao voltar, ele cumprira a promessa. Tinha o resto da temporada, e só.

— Acho que não tenho escolha — disse ela, baixinho.

— Não — concordou ele, com um leve aceno de cabeça. — Não tem.

Com a testa franzida, Jo observou-o se afastar num passo leve, fluido, que era forçada a admirar. Percebeu pela primeira vez que as palmas estavam tão úmidas quanto as de Gerry. Aborrecida, enxugou-as no jeans.

— Quer conversar sobre isso?

Jo se virou rapidamente e viu Jamie atrás dela, vestindo a fantasia completa de palhaço. Ela se deu conta de que sua preocupação era intensa, pois não notou a proximidade do amigo.

— Ah, Jamie, não vi você.

— Você não viu nada além de Prescott desde que saiu daquela jaula — informou Jamie.

— O que está fazendo fantasiado e maquiado? — perguntou Jo, evitando responder ao comentário.

— Este vira-lata não me atende se eu não estiver vestido de palhaço — respondeu Jamie, mostrando o cachorro aos pés dele. — Quer conversar sobre isso?

— Conversar sobre o quê?

— Sobre Prescott, sobre como se sente a respeito dele.

O cachorro ficou sentado pacientemente aos pés de Jamie e abanou o rabo. Jo se abaixou e passou a mão em seu pelo cinzento.

— Não sei do que está falando.

— Escute: não estou dizendo que não dará certo, mas não quero vê-la magoada. Sei como é ser louco por alguém.

— O que o faz pensar que sou louca por Keane Prescott? — Jo deu toda a sua atenção ao cachorro.

— Ei, sou eu, lembra? — Jamie pegou o braço dela e a fez se levantar — Nem todo mundo perceberia, talvez, mas nem todo mundo a conhece como eu. Você estava superinfeliz desde que ele voltou para Chicago, procurando por Prescott em cada carro que vinha ao acampamento. E bem agora, quando você o viu, ficou toda iluminada, como se o sol nascesse dentro de você. Não estou dizendo que é errado você estar apaixonada por ele, mas...

— Apaixonada? — repetiu Jo, incrédula.

— É — disse Jamie com paciência. — Apaixonada.

Jo olhou para Jamie quando compreendeu.

— Apaixonada — murmurou, repetindo as palavras como se para acreditar. — Ah, não. — Suspirou, fechando os olhos. — Ah, não.

— Não conseguiu descobrir sozinha? — perguntou Jamie em tom amistoso, acariciando-lhe o braço.

— Não, acho que sou muito idiota para esse tipo de coisa. — Jo abriu os olhos e observou em volta, perguntando-se se o mundo pareceria diferente. — O que vou fazer?

— Ora, não sei. — Jamie chutou a serragem com um sapato de tamanho exagerado. — Eu mesmo não estou tendo nenhum sucesso nesse departamento. — Deu a Jo uma palmadinha afetuosa. — Só queria que você soubesse que sempre terá em mim um amigo. — Ele sorriu, afetuoso, antes de se virar para se afastar, deixando Jo abalada e confusa.

Jo passou o resto da tarde absorta pela ideia de estar apaixonada por Keane Prescott. Por um curto espaço de tempo, se permitiu desfrutar a sensação, a experiência inédita de gostar de alguém não como um amigo, mas como um amante. Podia sentir a luz e o poder se espalharem nela, como se tivesse apanhado o sol na mão, e se perdeu em devaneios.

Keane a amava e dissera-lhe isso centenas de vezes enquanto a abraçava sob o céu enluarado. Queria se casar com ela, não suportaria viver sem ela. De repente, Jo era sofisticada e cosmopolita o bastante para lidar com a sociedade do country club de igual para igual. Partilharia histórias interessantes com as esposas dos outros advogados. Teria filhos e uma casa no campo. Como seria acordar todas as manhãs na mesma cidade?

Aprenderia a cozinhar e daria festas e jantares. Haveria noites longas e calmas em que ficariam sozinhos, só os dois juntos. Haveria luz de velas e música. Quando dormissem juntos, os braços dele a envolveriam a noite inteira, até de manhã.

Idiota. Com firmeza, Jo se forçou a afastar aqueles sonhos impossíveis. Enquanto ela e Pete alimentavam os leões, tentou se lembrar que contos de fadas eram para crianças. Nenhuma daquelas coisas jamais aconteceria, disse a si mesma. Teria de descobrir um meio de lidar com aquilo antes que se tornasse mais sério.

— Pete — começou Jo, mantendo a voz em tom de conversa enquanto estendia numa longa vara a carne crua para Abra. — Você já se apaixonou?

Pete mascou o chiclete devagar, observando Jo passar a carne através das grades.

— Bem, então, vamos ver. — Segurando o lábio inferior, ele pensou — Apenas oito ou dez vezes, acho, talvez 12.

Jo riu e se aproximou da jaula seguinte.

— Estou falando sério — disse ela. — Quero dizer... Apaixonado *de verdade.*

— Eu me apaixono com facilidade — confessou Pete seriamente. — Sou louco por um belo rostinho feminino. Para falar a verdade, sou louco até por um rostinho feio. — Sorriu. — Sim, senhor, a única coisa igual a se apaixonar é ter a mão imbatível no pôquer quando as apostas são altas.

Jo balançou a cabeça e continuou o trabalho.

— Entendi. Já que você é perito no assunto, me diga o que faz quando se apaixona por uma pessoa que não o ama e você não quer que esta pessoa saiba que está apaixonado porque não quer fazer papel de idiota.

— Espere um minuto. — Pete fechou os olhos com força — Preciso pensar primeiro. — Ficou em silêncio por um momento, os lábios se movendo enquanto pensava. — Certo. Vamos ver se entendi direito. — Abriu os olhos e franziu a testa em sinal de concentração. — Você está apaixonada...

— Não disse que *eu* estou apaixonada — apressou-se Jo em dizer. Pete ergueu as sobrancelhas e contraiu os lábios.

— Vamos dizer *você* no sentido geral, para evitar confusão — sugeriu, e Jo assentiu, fingindo estar atenta ao trabalho de alimentar os leões. — Então, você está apaixonada, mas o cara não a ama. Em primeiro lugar, precisa ter certeza de que ele não a ama.

— Não ama — murmurou Jo. Então, acrescentou depressa: — Vamos dizer que não ama.

Pete lhe lançou um olhar pelo canto do olho. Então, mudou o chiclete para o outro lado da boca.

— Entendi. Então, a primeira coisa é fazê-lo mudar de ideia.

— Fazê-lo mudar de ideia? — repetiu Jo, franzindo a testa.

— Claro. — Pete fez um gesto com a mão para mostrar a simplicidade do procedimento. — Você se apaixona por ele e, depois, ele se apaixona por você. Você se faz de difícil ou se faz de fácil. Ou flerta e sorri. — Ele demonstrou piscando os olhos timidamente e dando um lindo sorriso. Jo riu e se recostou na vara de alimentação. Pete, com boné de beisebol, camiseta branca e jeans desbotado era o melhor espetáculo que vira o dia inteiro. — Você desperta ciúmes nele ou alimenta seu ego — continuou. — Garota, há tantas maneiras de fisgar um homem que nem posso contar, e fui fisgado por todas elas. Sim, senhor. Sou louco por um rostinho feminino. — Ele parecia muito contente com sua fraqueza e Jo sorriu. Como seria fácil, pensou, se pudesse encarar o amor com aquela leveza...

— Suponha que não queira fazer nenhuma dessas coisas. Suponha que realmente não sei como fazê-las e não quero me humilhar fazendo tudo errado. Suponha que a pessoa não é... Bem, suponha que nada daria certo entre nós. E aí?

— Você tem suposições demais — concluiu Pete. Então, sacudiu o dedo para ela. — E tenho uma para você: suponha que não é muito esperta se acha que não pode vencer mesmo antes de jogar.

— Algumas vezes, as pessoas se magoam quando jogam — retorquiu Jo com calma. — Especialmente se não conhecem o jogo.

— Mágoa não é nada — afirmou Pete com um gesto de mão. — Vencer é o melhor, mas jogar é ótimo. Esta vida, Jo, é um jogo e você sabe disso. E as regras mudam o tempo todo. Você tem coragem — continuou, colocando a mão calejada e bronzeada no ombro dela. — Mais coragem do que a maioria das pessoas que conheci e também tem um cérebro; um cérebro ativo e faminto por conhecimento. Vai me dizer que, com tudo isso, tem medo de se arriscar?

Encarando-o, Jo sabia que não adiantaria mais fingir.

— Acredito que apenas aceito riscos calculados, Pete. Conheço meu trabalho. Conheço meus movimentos. E sei exatamente o que acontecerá se cometer um erro. Arrisco ferimentos em meu corpo, não nas minhas emoções. Jamais ensaiei para nada como isso e acho que jogar sem saber seria suicídio.

— Acho que precisa acreditar mais em Jo Wilder — retrucou Pete, fazendo-lhe um leve carinho no rosto.

— Ei, Jo! — A treinadora se virou e viu Rose se aproximando. Vestia jeans, uma blusa branca de camponesa e tinha uma jiboia de quase dois metros enrolada nos ombros.

— Oi, Rose. — Jo entregou a Pete a vara de alimentação. — Passeando com Baby?

— Ele precisava de um pouco de ar. — Rose deu uma palmadinha no animal de estimação. — Acho que está um pouco enjoado esta manhã. Ele lhe parece doente?

Jo olhou a pele brilhante, multicolorida. Então, analisou os pequenos olhos pretos enquanto Rose erguia a cabeça de Baby para a inspeção.

— Acho que não — concluiu.

— Bem, o dia está quente — observou Rose, soltando a cabeça de Baby. — Vou dar um banho nele. Isso pode animá-lo.

Jo observou os olhos de Rose correndo pelo acampamento.

— Procurando por Jamie?

— *Hum.* — Rose jogou os cachos pretos para trás — Não vou mais perder meu tempo com aquele cara. — Acariciou o dorso de Baby. — Sou indiferente.

— Esta é outra maneira de fazer isso — intrometeu-se Pete, dando uma pequena cotovelada em Jo. — Me esqueci dessa. É tiro e queda.

Rose franziu a testa para Pete e, depois, para Jo.

— Do que ele está falando?

Com uma risada, Jo se sentou sobre um barril de água.

— Como agarrar um homem — disse ela, deixando o sol quente brincar em seu rosto. — Pete fez um estudo sobre o assunto do ponto de vista masculino.

— Ah. — Rose lançou a Pete seu olhar mais desdenhoso. — Acha que se ficar indiferente ele vai ficar interessado?

— É tiro e queda — repetiu Pete, ajustando o boné. — Você o confunde. Então, ele começa a pensar em você, louco para saber por que não presta atenção nele.

Rose refletiu sobre a ideia.

— Costuma funcionar?

— Tem uma média de sucesso de 87 por cento — garantiu Pete, dando uma palmadinha amigável em Baby. — Funciona até com felinos. — Virou o polegar para trás e piscou para Jo. — A linda dama gata se senta lá e olha para o espaço como se tivesse coisas importantes em que pensar. O garotão na jaula ao lado está fazendo tudo, menos cambalhotas, para chamar a atenção dela. Ela apenas se banha, fingindo que nem mesmo sabe que ele está lá. Então, talvez depois que conseguir que ele bata com a cabeça nas grades, ela pisca os grandes olhos amarelos e diz: "Ah, você estava falando comigo?" — Pete riu e moveu os músculos das costas. — Então ele está fisgado, irmão. Exatamente como um peixe no anzol.

Rose sorriu à imagem de Jamie pendurado em seu anzol.

— Talvez não ponha Baby no trailer de Carmen, afinal — murmurou. — Ah, vejam, aí vem Duffy com o proprietário. — Uma conquistadora nata, Rose instintivamente arrumou o cabelo. — Realmente, ele é um homem muito bonito. Não acha, Jo?

Os olhos de Jo já estavam presos aos de Keane. Ela parecia incapaz de se libertar do olhar dele. Segurando a borda do barril de água, disse a si mesma para não se comportar como uma idiota.

— Sim — concordou ela com indiferença disfarçada. — Ele é muito atraente.

— Os nós dos seus dedos estão ficando brancos, Jo — murmurou Pete perto do ouvido dela.

Com uma respiração frustrada, Jo relaxou as mãos, endireitou a espinha e decidiu se conter. Controle, lembrou a si mesma, era o instrumento fundamental do seu trabalho. Se podia domar suas emoções e blefar com 12 leões, certamente poderia blefar com um homem.

— Oi, Duffy. — Rose sorriu rapidamente para o homem gordo e voltou a atenção para Keane. — Oi, sr. Prescott, que bom que você voltou.

— Oi, Rose. — Ele sorriu para o rosto erguido para ele. Levantou a sobrancelha quando o olhar passou para o réptil enrolado em torno dos ombros e do pescoço dela. — Quem é seu amigo?

— Ah, este é Baby. — Rose deu uma palmadinha nas costas coloridas de Baby.

— É claro. — Jo percebeu como o bom humor acentuava o ouro dos olhos dele. — Oi, Pete. — Fez um aceno amigável ao homem antes de seu olhar se virar e então parar em Jo.

Como no primeiro dia em que se viram, Keane não se importou em disfarçar o olhar fixo. Era frio e avaliador; reafirmava a posse. Ocorreu a Jo que, sim, gostava dele, mas que também tinha medo do rapaz. Temia seu poder sobre ela, temia sua capacidade de feri-la. Mesmo assim, o rosto não demonstrava nada do que sentia. Medo, lembrou a si mesma enquanto os olhos dela permaneciam igualmente frios nos dele, era uma coisa que compreendia. O amor podia causar problemas impossíveis, mas podia lidar com o medo. Não se acovardaria diante dele e honraria a primeira e principal regra da arena. Não se virar e não correr.

Em silêncio, olharam-se enquanto os outros os observavam com graus variados de curiosidade. Havia um leve sorriso nos lábios de Keane. A batalha de vontades continuou até Duffy pigarrear.

— Ah, Jo.

Calmamente, sem pressa, ela mudou o foco de sua atenção.

— Sim, Duffy?

— Acabei de mandar uma das coristas à cidade para uma consulta com o dentista local. Parece que ela está com um abscesso. Preciso de você para ocupar o lugar dela esta noite.

— Claro.

— Apenas para a rede e a abertura do espetáculo — continuou ele. Incapaz de se impedir, lançou um olhar rápido a Keane para ver se ainda a estava encarando. Duffy se moveu, desconfortável, e se perguntou que diabos estava acontecendo. — Assuma seu lugar habitual no número final. Haverá apenas uma garota no coro e o guarda-roupa vai providenciar o traje.

— Tudo bem. — Jo sorriu para ele, embora estivesse muito consciente do olhar de Keane sobre ela. — Acho que é melhor praticar caminhada com aqueles saltos enormes. Qual é a minha posição?

— Corda número quatro.

— Duffy... — cantarolou Rose, puxando-lhe a manga. — Quando vai me deixar entrar na rede?

— Rose, como uma garota pequena como você vai aguentar aquela fantasia pesada? — Duffy balançou a cabeça para ela, mantendo uma distância respeitosa de Baby. Depois de 35 anos trabalhando com carnívoros, espetáculos secundários e circos, ele ainda se sentia desconfortável perto de serpentes.

— Sou muito forte — alegou Rose, esticando a coluna na tentativa de parecer mais alta. — E estive ensaiando. — Ansiosa para demonstrar suas habilidades, Rose tirou Baby dos ombros com agilidade. — Segure-a por um minuto — pediu, jogando a serpente nos braços de Keane.

— Ah... — Keane moveu o peso nos braços e olhou com dúvida para os olhos entediados de Baby. — Espero que ele tenha comido recentemente.

— Ele tomou um ótimo café da manhã — garantiu Rose, dando uma cambalhota fluida para trás para mostrar a Duffy sua flexibilidade.

— Baby não come os donos — disse Jo a Keane. E não se deu ao trabalho de esconder o sorriso: era a primeira vez que o via desconcertado. — Só um cara da cidade, de vez em quando. Rose o mantém numa dieta muito rígida.

— Presumo que ele saiba que sou o proprietário — começou Keane quando Baby escorregou para uma posição mais confortável.

Sorrindo da expressão desconfortável de Keane, Jo se virou para Pete.

— Xi, não sei. Alguém contou a Baby sobre o novo proprietário?

— Eu não. Não tive a oportunidade — disse Pete, a voz lenta, pegando um novo chiclete. — Ele se parece com um cara da cidade, e Baby pode ficar confuso.

— Eles estão apenas o provocando, sr. Prescott — disse Rose, quando terminou a exibição não programada caindo com as pernas abertas, como uma bailarina. — Baby não come pessoas, de jeito nenhum. É dócil como um cordeirinho. Meninos pequenos se aproximam e o acariciam durante as apresentações. — Levantou-se e limpou o jeans. — Agora, se pegar uma naja...

— Não, obrigado — declinou Keane entregando a jiboia a Rose.

— Bem, Duffy, tenho de ir. O que diz?

— Peça a uma das meninas para lhe ensinar o número — disse ele, acenando. — Aí veremos. — E observou Rose se afastar com um sorriso.

— Ei, Duffy! — Era Jamie. — Há dois caras da cidade procurando por você. Eu os mandei para o vagão vermelho.

— Certo. Vou com você. — Duffy piscou para Jo antes de se virar e acompanhar os passos largos de Jamie.

Keane estava em pé muito perto dos barris e Jo sabia que era arriscado descer do dela. Mas também sabia que seu pulso estava começando a se comportar de forma errática apesar dos esforços para controlá-lo.

— Preciso ver minha fantasia. — Agilmente, ela desceu, com a intenção de contornar Keane. Mas, quando suas botas tocaram o chão, as mãos dele lhe tomaram a cintura. Exercitando a força de vontade ao máximo, Jo não se afastou nem lutou. Apenas ergueu os olhos calmamente para os dele.

Os polegares dele se moveram num círculo preguiçoso. Jo podia sentir o calor através do tecido da blusa. Com todo o seu ser, desejou que ele não a abraçasse. Então, perversamente, desejou que aquele homem a puxasse para mais perto de seu corpo. Lutou para não enfraquecer enquanto os lábios esquentavam sob o calor do olhar de Keane, que parecia um beijo. O coração pulsava em seus ouvidos.

Keane passou uma das mãos por todo o comprimento da trança longa e grossa. Lentamente, os olhos dele fitaram os de Jo. De repente, ele a soltou e recuou um passo para deixá-la passar.

— É melhor ir ao guarda-roupa ver aquela fantasia.

Decidindo que não conseguiria compreender as mudanças de humor dele, Jo passou por ele e cruzou o acampamento. Se passasse bastante tempo trabalhando, poderia manter os pensamentos longe de Keane Prescott. Talvez.

Capítulo Sete

A Grande Tenda estava lotada para o espetáculo da noite. Jo percebeu a ansiedade nas filas de rostos quando assumiu o papel temporário na abertura do espetáculo.

A banda tocava uma música ritmada, pulsante, que se apoiava pesadamente nos metais como o tema do desfile que marchava pela pista do hipódromo. No papel de Pastorinha substituta, Jo usava uma touca, uma ampla saia de crinolina e puxava um filhote de cordeiro por uma correia. Como seu número acontecia quase logo depois da abertura, raramente participava dela. Agora, desfrutava de uma visão clara da plateia. Na jaula, esquecia-se quase por completo que ela estava lá.

Era um grupo bem heterogêneo, pensou: bebês, crianças de idades diversas, pais, avós, adolescentes. Recebiam os artistas com aplausos entusiasmados. Jo sorriu e acenou enquanto executava os passos simples da coreografia praticamente sem pensar.

Depois de uma rápida mudança de fantasia, assumiu seu lugar como a Rainha dos Felinos. Depois, outra fantasia a transformou em uma das Doze Borboletas Rodopiantes.

— Acabei de ouvir que você fará isso durante toda a semana — sussurrou Jamie em seu ouvido quando ela fez a pose habitual ao lado da corda. — Barbara não conseguirá ficar pendurada pelos dentes.

Jo mexeu os ombros para compensar o peso das enormes asas azuis.

— Rose vai aprender os passos... — sussurrou de volta, sorrindo à luz dos refletores. — Duffy vai lhe dar o trabalho se ela conseguir ficar em pé debaixo desta maldita fantasia. — Fez um som aborrecido e, logo em seguida, abriu um grande sorriso. — Pesa uma tonelada.

Lentamente, ao ritmo da valsa tocada pela banda, Jo subiu pela corda.

— Ah, o espetáculo... — ouviu Jamie suspirar.

Prometeu a si mesma dar uma cotovelada nas costelas do palhaço quando fizesse a reverência de agradecimento ao final do espetáculo. Então, enganchando o pé no aro, começou o número, imitando as outras 11 borboletas que giravam.

Conseguiu tomar uma xícara de café com a mãe de Rose quando devolveu a fantasia de borboleta ao guarda-roupa e vestiu a roupa branca e dourada de treinadora de leões. Seus músculos doíam um pouco devido ao peso pouco familiar das asas e pensou em um longo e demorado banho de banheira. Era um sonho que se realizaria apenas em setembro, lembrou a si mesma. Na estrada, só podia tomar banho de chuveiro.

A última tarefa de Jo no espetáculo era ficar em pé sobre a cabeça de Maggie, o principal elefante na longa marcha do número final. Forte e confiável, Maggie ficava firme enquanto quatro elefantes de cada lado dela se erguiam nas patas traseiras, descansando as dianteiras nas costas dos que estavam à frente. Sobre a grande cabeça de Maggie, Jo ficava em pé, brilhando sob as luzes, com os dois braços erguidos no ar. Era aqui, mais do que em qualquer outra parte do espetáculo, que sentia o poder dos aplausos. Eles se misturavam à música, ao assobio do mestre do espetáculo, às risadas das crianças. Estava cansada, mas aquele momento a enchia de energia. Sabia que a fadiga voltaria. Portanto, aproveitava ainda mais o poder do momento. Aqueles poucos segundos compensavam o trabalho, as longas horas de ensaio, as viagens antes do nascer do sol. Havia apenas a magia. Mesmo quando escorregava das costas de Maggie, ainda podia senti-la.

Do lado de fora da tenda, misturavam-se os diversos artistas e trabalhadores do circo. Trocavam anedotas, comentavam os números, faziam observações. Aos poucos, afastavam-se, sozinhos, em pares ou em grupos. Alguns dos artistas trocariam a roupa para ajudar a desmontar as tendas, alguns dormiriam, alguns se preocupariam com suas apresentações. Excitada demais para dormir, Jo pretendia ver o desmonte da Grande Tenda.

Acendeu a luz fraca quando entrou no trailer. Então, distraidamente, trançou o cabelo enquanto se dirigia ao banheiro minúsculo. Com movimentos rápidos e precisos, tirou a maquiagem com creme. O exagero exótico dos olhos desapareceu, deixando apenas os cílios longos e espessos e o verde límpido.

O suave brilho rosa natural lhe tingia de novo a pele e a boca. Sem a pintura, parecia estranhamente vulnerável. Acostumada à mudança, Jo não percebia o forte contraste entre Jovilette, a artista, e a mulher pequena e, de certa forma, frágil na roupa brilhante. Com o rosto limpo e a trança simples às costas, a insinuação de alguma coisa selvagem, cigana, era menos aparente. Permanecia em seus movimentos, mas o rosto limpo de todo o artifício, com o cabelo preso, era delicado e jovem, em parte ingênuo, em parte intenso. Mas Jo não via nada disso quando estendeu a mão para o zíper na frente da roupa. Antes que pudesse descê-lo, ouviu uma batida na porta.

— Entre — gritou, jogando a trança para trás quando começou a descer o corredor. Parou ao ver Keane entrar.

— Ninguém nunca lhe disse para perguntar quem é primeiro? — Ele fechou a porta e trancou-a com um movimento descuidado do punho. — Você pode não precisar trancar a porta para o pessoal do circo — continuou com tranquilidade enquanto ela permanecia imóvel. — Mas ainda há dezenas de caras da cidade por aí.

— Sei lidar com um cara da cidade curioso — replicou Jo. A forma indiferente como ele impunha sua dominância era irritante. — Jamais tranco minha porta.

Havia frieza e aborrecimento na voz dela, e Keane os ignorou.

— Trouxe uma coisa de Chicago para você.

A afirmação simples impediu o crescimento da raiva de Jo e, pela primeira vez, notou o pequeno embrulho que ele carregava.

— O que é?

Keane sorriu e se aproximou.

— Nada que morda — garantiu. Depois, estendeu-o para ela.

Ainda cautelosa, Jo ergueu os olhos para ele, então voltou-os para o embrulho.

— Não é meu aniversário — murmurou.

— Também não é Natal — lembrou Keane.

A tranquilidade do tom fez Jo erguer os olhos para ele de novo. Perguntou-se como ele compreendera a hesitação dela em aceitar o presente e manteve o olhar preso ao dele.

— Obrigada — disse Jo, séria, enquanto pegava o pequeno embrulho.

— De nada — respondeu Keane, no mesmo tom.

Amenidades terminadas, Jo rasgou o papel sem cerimônias.

— Ah! É Dante — exclamou, acabando de rasgar o papel e jogando-o sobre a mesa.

Passou a palma com reverência sobre a capa de couro escuro. O aroma forte lhe subiu às narinas. Sabia que sua cota de livros teria de ficar limitada a um por ano se comprasse um volume tão belamente encadernado.

Abriu-o devagar como se para prolongar o prazer. As páginas eram pesadas e numa bela cor creme. O texto era em italiano e, mesmo apenas passando os olhos pela primeira página, as palavras fluíam rapidamente por sua mente.

— É lindo — murmurou, maravilhada. Erguendo os olhos para agradecer-lhe, Jo o encontrou sorrindo para ela. De repente, se sentiu tímida, com mais intensidade ainda, porque raramente se sentia assim. Uma vida inteira diante de plateias lhe dera uma confiança natural em praticamente todas as situações.

Mas naquele momento o rubor lhe tomou o rosto, e a mente era um caos de palavras desordenadas.

— Estou feliz que tenha gostado. — Ele passou um dedo de leve no rosto dela. — Você sempre fica vermelha quando alguém lhe dá um presente?

Como não sabia o que responder, Jo se esquivou da pergunta.

— Foi gentil da sua parte pensar em mim.

— Parece ser algo natural — replicou Keane. Então, observou as pálpebras de Jo se abaixarem.

— Não sei o que dizer. — Jo conseguiu olhar para Keane novamente, com sua habitual franqueza, mas ele lhe tocara as emoções mais uma vez. Sentia-se sem jeito para lidar com seus sentimentos ou com o efeito que ele causava nela.

— Você já disse. — Ele tomou o livro das mãos de Jo e o folheou. — Claro que não sei ler uma palavra dele e invejo você. — Antes que Jo pudesse avaliar a ideia de um homem como Keane Prescott sentir inveja dela por qualquer coisa, ele a olhou de novo e sorriu. — Tem café? — perguntou, colocando o livro sobre a mesa.

— Café?

— Sim, você sabe, aquilo que cresce em grande quantidade no Brasil.

Jo lhe deu um olhar desolado.

— Não tenho pronto. E lhe faria uma xícara, mas ainda preciso me trocar para ajudar a desmontar as tendas. A cozinha ainda deve estar funcionando.

Keane ergueu uma sobrancelha e deixou os olhos passearem pelo rosto dela.

— Não acha que depois da Pastorinha, leões e borboletas, já trabalhou demais esta noite? Por falar nisso, você é uma borboleta muito atraente.

— Obrigada, mas...

— Vamos fazer assim — interrompeu Keane com delicadeza. E segurou a ponta da trança dela entre os dedos. — Você tira a noite de folga. Eu mesmo farei o café se me mostrar onde o guarda.

Embora deixasse escapar um suspiro alto, Jo se sentia mais bem-humorada do que aborrecida. Café, concluiu, era o mínimo que podia fazer depois de ele lhe dar um presente tão encantador.

— Eu faço — disse ela. — Mas você provavelmente desejará ter ido à tenda da cozinha.

Com o convite duvidoso, Jo se virou e seguiu para a cozinha. Keane não fez barulho, mas ela sabia que a seguira. Pela primeira vez, percebeu como sua cozinha era pequena.

Jo colocou uma pequena chaleira de cobre numa das duas trempes elétricas e ligou-a. Era simples manter as costas voltadas para ele enquanto pegava as canecas do armário. Estava bem consciente de que, se se virasse na cozinha compacta, ficaria praticamente nos braços dele.

— Você assistiu ao espetáculo inteiro? — perguntou enquanto pegava um pote de café instantâneo.

— Duffy me fez trabalhar com os folhetos de propaganda — respondeu Keane. — Parece que ele está me tornando "geralmente útil".

Divertida, Jo virou a cabeça para sorrir para ele. De imediato, descobriu seu erro estratégico. O rosto de Keane estava a apenas alguns centímetros de Jo e, nos olhos dele, leu seus pensamentos. Keane a queria e pretendia tê-la. Antes que pudesse mudar a posição, ele a pegou pelos ombros e a virou por completo. Jo sabia que estava presa contra as barras.

Sem pressa, ele começou a desfazer sua trança, trabalhando com os dedos até o cabelo lhe descer pelas costas.

— Estava com vontade de fazer isto desde a primeira vez que a vi. Posso me perder neste cabelo. — A voz era suave quando pegou uma generosa mecha e o gesto em si parecia confirmar a alegação. — Ao sol, brilha com luzes vermelhas, mas no escuro é como a própria noite.

Jo percebeu que, a cada vez que ficava perto dele, era menos capaz de resistir. Perdeu-se nos olhos de Keane, enfeitiçada por seu poder. A boca já formigava com a lembrança do beijo dele, com o anseio por mais um. Atrás deles, a chaleira começou a apitar alto.

— A água — conseguiu dizer e tentou contornar Keane. Com uma das mãos no cabelo dela, ele a manteve imóvel enquanto se virava e desligava a trempe. O apito diminuiu. Então, morreu, e o som ecoou na mente de Jo.

— Você quer café? — murmurou ele enquanto os dedos desceram, trilhando-lhe o pescoço.

Os olhos de Jo se prenderam aos dele. Os dela eram enormes e diretos; os dele, calmos e penetrantes.

— Não — sussurrou, sabendo que nada mais queria naquele momento a não ser pertencer a ele. Keane circulou-lhe o pescoço com a mão e pressionou os dedos sobre a jugular, que batia loucamente.

— Você está tremendo. — Podia sentir o leve tremor do corpo dela quando a puxou para si. — É medo? — quis saber, enquanto os polegares lhe roçavam os lábios. — Ou excitação?

— Os dois — respondeu ela, a voz carregada de emoção. Fez um som leve, confuso, quando a palma dele lhe cobriu o coração. O batimento desesperado aumentou. — Você... — Ela parou por um momento, com a voz trêmula e ofegante. — Você vai fazer amor comigo?

Os olhos dele realmente escureceram?, perguntou-se, zonza. Ou era sua imaginação?

— Linda Jovilette — murmurou ele enquanto a boca descia para a dela. — Sem fingimentos, sem pretensões... Irresistível. — O tipo de beijo mudou rapidamente. A boca de Keane era voraz e, em resposta, Jo esqueceu toda a cautela. Se amá-lo era loucura, raciocinou seu coração, fazer amor com ele a levaria além da sanidade. Além da razão, Jo deixou o coração governar sua vontade. Quando os lábios se abriram sob os dele, não foi em sinal de rendição, mas na mesma sintonia de desejo.

Keane tornou o beijo mais suave. Manteve-a trêmula no fio da navalha da paixão. A boca provocava, prometia, alimentava o crescente desejo de Jo. Encontrou o zíper na base do pescoço e lentamente o desceu. A pele dela estava quente e Keane a procurou, deixando escapar um gemido de prazer quando o seio de Jo se arrepiou ao seu toque. Explorou-a sem pressa, como se memorizasse cada curva e cada linha reta. Jo não tremia mais. Tornou-se dócil enquanto seu corpo se movia no ritmo que ele estabelecera. Seu suspiro foi espontâneo, um som maravilhado e deliciado.

Com uma brusquidão que a fez perder o fôlego, Keane a beijou com um desejo feroz. Os instintos de Jo responderam, lançando-a num mundo que apenas imaginara. As mãos de Keane se tornaram mais firmes, mais insistentes. Jo percebeu que ele abrira mão do controle. Cavalgavam ambos as ondas fortes da paixão. Este mar não tinha horizonte nem profundidade. Era um mar que queria afogá-los, puxando-os para dentro enquanto prometia prazer sem limites.

Jo não resistiu: mergulhou mais profundamente. A princípio, as batidas eram apenas o som do coração dela contra as costelas. Quando Keane se afastou, ela murmurou em protesto e o puxou de volta. Instantaneamente, a boca de Keane se tornou ávida, mas as batidas continuaram, e ele praguejou e se afastou de novo.

— Alguém insistente — resmungou. Atônita, Jo apenas o olhou.

— A porta — explicou ele com um longo suspiro.

— Ah. — Desconcertada, Jo passou uma das mãos pelo cabelo e tentou se concentrar.

— É melhor atender — sugeriu Keane enquanto lhe subia o zíper até o pescoço num único e rápido movimento.

Jo emergiu na realidade subitamente. Por um momento, Keane a observou, notando o rosto vermelho e o cabelo desarrumado antes de se afastar para o lado. Obrigando suas pernas a carregá-la, Jo andou até a porta do trailer. Não conseguiu abri-la. Então, lembrou de que Keane a havia trancado e destrancou-a.

— Pois não, Buck — disse calmamente quando abriu a porta.

— Jo... — O rosto dele estava na sombra, mas ela ouviu a tristeza naquela única sílaba e sentiu um aperto no peito. — É Ari.

Ele mal acabara de falar e Jo já estava do lado de fora do trailer, correndo pelo acampamento. Encontrou Pete e Gerry em pé perto da jaula de Ari.

— Como ele está? — perguntou quando Pete se aproximou.

Ele lhe segurou os ombros.

— Desta vez, realmente mal, Jo.

Por um momento, Jo quis balançar a cabeça, negar o que via nos olhos de Pete, mas apenas o empurrou de leve para o lado e andou até a jaula de Ari. O velho leão estava deitado de lado enquanto o peito levantava e descia com o esforço para respirar.

— Abra — ordenou a Pete numa voz que nada revelava. Ouviu o som de chaves batendo, mas ela não se virou.

— Você não vai entrar lá. — Jo ouviu a voz de Keane e sentiu as mãos lhe segurando os ombros para detê-la.

Os olhos eram sem brilho quando olhou para ele.

— Sim, vou. Ari não vai me ferir. Não vai ferir mais ninguém. Vai apenas morrer. Agora, me deixe sozinha. — A voz era baixa e sem expressão. — Abra — ordenou de novo, e se afastou das mãos que haviam se tornado mais leves em seus ombros.

As barras bateram quando Pete abriu a porta. Jo ouviu, virou-se e entrou na jaula.

Ari mal se moveu e Jo viu, quando se ajoelhou ao lado dele, que os olhos estavam abertos, vítreos de cansaço e dor.

— Ari... — suspirou ela, sabendo que não haveria um amanhã para ele. A única resposta foi um arquejo oco e, pondo a mão sobre ele, Jo sentiu o ritmo áspero da respiração. Ele fez um esforço para reagir ao toque dela, ao seu nome, mas conseguiu apenas mover a grande cabeça no chão. O gesto partiu o coração de Jo. Ela abaixou a cabeça até sua juba, lembrando-se de como o animal fora uma vez: cheio de força e de uma beleza aterrorizante. Ergueu o rosto de novo e respirou longa e profundamente para se acalmar.

— Buck? — ouviu-o se aproximar, mas não tirou os olhos de Ari. — Pegue o kit médico. Quero uma injeção de pentobarbital.

Sentiu a breve hesitação de Buck antes que ele respondesse.

— Certo, Jo.

Ela se sentou calmamente, acariciando a cabeça de Ari. Ouvia, a distância, os sons da Grande Tenda sendo desarmada, os chamados dos homens, as batidas das cordas, da madeira contra metal. Um elefante bramiu e, três jaulas à frente, Fausto rosnou baixo em resposta.

— Jo? — Ela virou a cabeça quando Buck a chamou e tirou o cabelo dos olhos. — Deixe-me fazer isso.

Jo apenas balançou a cabeça e estendeu a mão.

— Jo. — Keane se aproximou das barras. A voz era suave, mas os olhos eram tão parecidos com os do leão deitado perto de seus joelhos que Jo quase soluçou alto. — Você não precisa fazer isso.

— Ele é o meu gato — respondeu, a voz sem emoção. — Prometi que faria isso quando chegasse a hora. A hora chegou. — Os olhos se viraram para Buck. — Me dê a injeção, Buck. Vamos terminar com isso.

Quando pegou a seringa, Jo a olhou. Então fechou os dedos em torno dela. Engolindo com força, ela se virou para Ari. Ele a olhava. Depois de mais de vinte anos no cativeiro, ainda havia alguma coisa indomada no felino moribundo. Mas ela viu a confiança nos olhos dele e quis chorar.

— Você foi o melhor — disse a ele enquanto passava uma das mãos na juba. — Você sempre foi o melhor. — Jo sentiu um frio entorpecedor lhe tomando o corpo e rezou que durasse até terminar o que tinha de fazer. — Está cansado agora e vou ajudá-lo a dormir. — Tirou o lacre da agulha e esperou até ter certeza de que as mãos estavam firmes. — Isto não o machucará. Nada mais o machucará.

Involuntariamente, Jo passou as costas da mão sobre a boca e, então, num movimento rápido, mergulhou a agulha no ombro de Ari. Um leve soluço lhe escapou enquanto esvaziava a seringa. Ari não emitiu nenhum som, mas continuou a observar-lhe o rosto. Jo não lhe ofereceu palavras de conforto, mas ficou sentada ao lado dele, acariciando-lhe metodicamente o pelo enquanto os olhos dele se tornavam turvos. Aos poucos, o esforço para respirar diminuiu, tornou-se cada vez mais silencioso até desaparecer por completo. Jo o sentiu se imobilizar e a mão dela se fechou em punho dentro da juba farta. Jo foi tomada por um tremor rápido, convulsivo. Retesou-se, saiu da jaula e fechou a porta. Como seus ossos pareciam frágeis, ela os manteve rijos, como se pudessem se partir. Quando pisou de novo no chão, Keane lhe tomou o braço e começou a guiá-la.

— Cuide das coisas — disse ele a Buck quando passaram.

— Não — protestou Jo, tentando mas não conseguindo soltar o braço. — Eu farei isso.

— Não, não fará. — O tom de Keane tinha a finalidade de acalmá--la. — Chega.

— Não me diga o que fazer — retrucou com rispidez, deixando a dor se refugiar na raiva.

— *Estou* lhe dizendo — afirmou ele, a mão firme no braço dela.

— Não *pode* me dizer o que fazer — insistiu Jo, sentindo as lágrimas traiçoeiras virem à tona. — Quero que me deixe sozinha.

Keane parou, segurando os ombros dela. Pelo canto dos olhos, viu a lua minguante.

— De jeito nenhum vou deixá-la sozinha em um momento de tanta angústia.

— Minhas emoções não são da sua conta.

Mesmo enquanto ela falava, Keane lhe tomava o braço de novo e a levava em direção ao trailer. Jo queria, desesperadamente, ficar sozinha para chorar sua dor em particular. O luto era dela e as lágrimas, pessoais. Como se não ouvisse os protestos, Keane a levou para dentro do trailer e fechou a porta.

— Quer ir embora daqui? — exigiu Jo, freneticamente segurando as lágrimas.

— Não até me convencer de que você está bem. — A resposta de Keane foi calma enquanto ele voltava à cozinha.

— Estou perfeitamente bem. — A respiração saía em haustos rápidos, curtos, trêmulos. — Ou ficarei assim que me deixar sozinha. Não tem o direito de meter o nariz nos meus assuntos.

— Você já me disse isso — respondeu Keane, com toda calma, dos fundos do trailer.

— Apenas fiz o que precisava ser feito. — Jo mantinha o corpo rígido, e lutou para controlar a respiração rápida, trêmula. — Acabei com o sofrimento de um animal doente. Foi simples assim. — A voz falhou, e ela lhe deu as costas, passando as mãos nos braços. — Pelo amor de Deus, Keane, vá embora!

Calmamente, ele veio até ela com um copo de água.

— Beba isso.

— Não. — Ela se virou para ele. As lágrimas escaparam dos olhos dela e desceram pelo rosto, apesar dos esforços para controlá-

-las. Odiando-se, pressionou a mão entre as sobrancelhas e fechou os olhos. — Não quero você aqui. — Keane colocou o copo sobre a mesa e tomou-a nos braços. — Não, não faça isso. Não quero que me abrace.

— Que pena! — Ele lhe acariciou as costas com a mão suave, deslizando-a para cima e para baixo. — Você fez uma coisa muito corajosa, Jo. Sei que amava Ari. Sei o quanto foi difícil deixá-lo partir. Você está sofrendo e não vou deixá-la sozinha.

— Não quero chorar na sua frente. — As mãos dela eram punhos cerrados nos ombros dele.

— Por que não? — A carícia continuava, para cima e para baixo, enquanto ele aninhava a cabeça de Jo contra seu peito.

— Por que não me deixa em paz? — perguntou ela quando o controle rígido cedeu. Os dedos dela agarraram a camisa de Keane convulsivamente. — Por que estou sempre perdendo tudo o que amo?

Jo deu vazão à dor. Deixou que os braços dele a acalmassem. Tão desesperadamente quanto como protestara contra ele, agora se agarrava ao conforto ofertado. Não fez objeções quando Keane a carregou para o sofá e a aninhou em seus braços. Ele lhe acariciou o cabelo, como Jo acariciara Ari, para amenizar a dor que não podia fazer desaparecer. Lentamente, os soluços diminuíram, mas Jo continuou deitada com o rosto contra o peito dele, com o cabelo escondendo o rosto.

— Melhor? — perguntou ele quando o silêncio se prolongou.

Jo fez que sim, ainda sem confiar na voz. Keane a virou quando pegou o copo de água.

— Beba isso agora.

Agradecida, Jo aliviou a garganta seca e voltou a se recostar sem resistência no peito dele. Fechou os olhos, pensando em que havia muito tempo que não era abraçada no colo de ninguém e consolada.

— Keane — murmurou ela, sentindo os lábios dele roçarem o topo de sua cabeça.

— *Hum?*

— Nada. — A voz ficou rouca enquanto ela adormecia. — Apenas Keane.

Capítulo Oito

Jo sentiu o brilho do sol sobre as pálpebras fechadas. Havia o som de pássaros agitados devido à manhã de verão. Sua mente, começando a despertar, lhe disse que devia ser segunda-feira. Apenas às segundas-feiras ela dormia até depois do sol nascer. Era o dia em que não viajavam, o único da semana em que não havia espetáculo no circo. Pensou preguiçosamente em se levantar. Dedicaria duas horas à leitura e talvez fosse à cidade ver um filme. Em que cidade estavam? Com um suspiro sonolento, virou-se sobre a barriga.

Farei uma boa limpeza nos gatos. Talvez até lhes dê um banho se ficar quente o bastante. Então as lembranças voltaram e a fizeram acordar de vez. *Ari.* Jo abriu os olhos, ficou de costas na cama e olhou para o teto. Agora se lembrava claramente de como o velho felino morrera, os olhos confiantes nos dela. Suspirou de novo. A tristeza ainda estava lá, mas não a dor desesperada e intensa da noite anterior. A aceitação já começava.

Compreendeu que a insistência de Keane em ficar durante os momentos mais intensos de sua dor a havia ajudado. Ele lhe dera alguém com quem brigar; depois, alguém a quem abraçar. Lembrava-se do conforto inacreditável de se sentir aninhada em seu colo, da força sólida do peito contra o rosto dela. Dormira ao som das batidas do coração dele. Virou a cabeça e olhou pela janela; depois, para o caminho de luz que o raio de sol formava no piso.

Mas não é segunda-feira, lembrou-se de repente. É terça. Jo sentou-se, afastando o cabelo que parecia estar por toda parte. O que estava fazendo na cama numa terça-feira depois de o sol nascer? Sem se dar tempo de encontrar a resposta, saiu da cama e do quarto e deu um pequeno gemido quando colidiu com Keane.

A mão dele percorreu o cabelo dela até o fim antes de segurá-la pelo ombro.

— Eu a ouvi acordando — disse com calma, olhando para o rosto atônito.

— O que está fazendo aqui?

— Café — respondeu enquanto a observava. — Ou estava, um momento atrás. Como se sente?

— Estou bem. — Jo ergueu a mão até a têmpora numa tentativa de se situar. — Estou um pouco desorientada, acho. Dormi demais. Isso nunca aconteceu antes.

— Eu lhe dei um remédio para dormir — disse Keane com franqueza, passando um braço pelos ombros dela quando se virou para voltar para a cozinha.

— Um remédio? — Os olhos de Jo voaram para os dele. — Não me lembro de ter tomado remédio nenhum.

— Estava na água que você tomou. — No fogão, a chaleira começou a apitar. Aproximando-se dela, Keane terminou de fazer o café. — Acho que não o tomaria por vontade própria.

— Não, não tomaria — concordou Jo, aborrecida. — Nunca tomei remédio para dormir.

— Bem, tomou a noite passada. — Keane entregou-lhe uma caneca de café. — Mandei Gerry buscá-la enquanto você estava na jaula com Ari. — Novamente, deu-lhe aquele olhar intenso e rápido, avaliando-a. — Não parece ter-lhe feito mal nenhum. Você apagou como uma lâmpada. Levei-a para a cama, troquei suas roupas...

— Trocou minhas... — De repente, Jo percebeu que vestia apenas uma camisola branca fina. A mão se moveu instintivamente para o botão que ficava pouco acima dos seios. Pensando bem, descobriu que não se lembrava de nada a não ser de adormecer nos braços dele.

— Acho que não passaria uma noite muito confortável com a fantasia — explicou Keane. Desfrutando do café, ele sorriu, fitando a mão nervosa que ela mantinha entre os seios. — Tenho alguma experiência em despir mulheres no escuro. — Jo deixou a mão cair. Foi um movimento inequívoco de orgulho. Os olhos de Keane se enterneceram. — Você precisava de uma boa noite de sono, Jo. Estava exausta.

Sem dizer nada, Jo ergueu a caneca de café até a boca e se virou. Andou até a janela e viu que o local estava vazio. O sono devia mesmo ter sido profundo para impedi-la de ouvir a saída do circo.

— Todos já se foram, com exceção de dois funcionários e de um caminhão com gerador. Eles irão embora quando você não precisar mais de energia.

A vulnerabilidade que Jo sentiu foi arrasadora. Diversas vezes durante a noite anterior, ela perdera o controle, que sempre fora parte essencial dela; a cada vez, Keane estivera lá. Queria ficar com raiva dele por invadir sua privacidade, mas descobriu que era impossível. Precisara dele, e Keane sabia disso.

— Você não precisava ter ficado para trás — disse ela, observando um corvo sobrevoar o campo.

— Não tinha certeza se você estaria em condições de dirigir 75 quilômetros esta manhã. Pete está dirigindo meu trailer.

Os ombros da treinadora se ergueram e caíram antes que ela se virasse. O sol entrava pela janela atrás dela e penetrava as dobras finas da camisola. Seu corpo era uma sombra esguia e, quando Jo falou, a voz era baixa e em tom de arrependimento.

— Fui extremamente grosseira com você na noite passada.

Ele deu de ombros e ergueu a caneca de café.

— Você estava desnorteada.

— Sim. — Os olhos dela eram um reflexo claro da dor. — Ari era muito importante para mim. Suponho que era a ligação permanente com o meu pai, com a minha infância. Já sabia há algum tempo que ele não sobreviveria a esta temporada, mas não queria acreditar nisso. — Olhou para a caneca que segurava com as duas mãos. Uma leve nuvem de vapor subia dela e desaparecia. — A noite passada foi um alívio para ele. Foi egoísmo meu querer que fosse de outra maneira. E errei em atacar você como fiz. Me desculpe.

— Não quero que peça desculpas, Jo. — Ele parecia aborrecido e ela o olhou rapidamente.

— Eu me sentiria melhor se as aceitasse, Keane. Você foi muito gentil.

Para seu assombro, ele praguejou baixinho. Então se virou para o fogão.

— Não quero sua gratidão nem suas desculpas. — Keane colocou a caneca na pia e se serviu de mais café. — Nenhum dos dois é necessário.

— Para mim, são — replicou Jo, dando um passo em direção a ele. — Keane... — Jo deixou a caneca de café sobre a mesa e lhe tocou o braço. Quando ele se voltou, Jo deixou o impulso guiá-la. Descansou a cabeça no ombro dele e passou os braços em torno de sua cintura. Keane enrijeceu e colocou as mãos nos ombros dela, como se para afastá-la. Então Jo ouviu a respiração dele sair num longo suspiro e ele relaxou. Por um instante, abraçou-a com força.

— Eu nunca sei exatamente o que esperar de você — murmurou. Ergueu-lhe o queixo com o dedo e, numa reação automática, Jo fechou os olhos e lhe ofereceu a boca. Sentiu os dedos dele apertarem-lhe a pele antes que os lábios de Keane roçassem os dela levemente. — É melhor você se trocar. — O jeito dele era amigável, mas frio, quando se afastou. — Vamos parar na cidade e eu lhe pagarei um café da manhã.

Intrigada com a atitude, mas feliz por ele não parecer mais aborrecido, Jo concordou.

— Está bem.

A primavera se tornou verão enquanto o circo seguia em direção ao norte. Os dias se tornaram mais longos e o sol iluminava a Grande Tenda depois que o espetáculo da noite começava. Chuvas pesadas se tornaram pouco frequentes, mas havia rápidas tempestades de verão, com raios e trovões. Durante o mês de junho, o Prescott's Circus Colossus atravessou a Carolina do Norte e entrou no Tennessee.

Durante as longas semanas enquanto a primavera se transformava no verão, Jo considerou o comportamento de Keane um paradoxo.

Tratava-a com uma cordialidade distante. Ria se ela dissesse alguma coisa engraçada, ouvia se tinha uma queixa e, para confundi-la mais ainda, construiu uma tênue barreira entre eles. Às vezes, Jo se perguntava se aquela paixão que desabrochara entre eles na noite em que voltara de Chicago existira realmente. O desejo que provara nos lábios dele teria sido uma fantasia? A proximidade que sentira crescer entre eles desaparecera. Agora, eram apenas um proprietário e uma artista de circo.

Keane voltou a Chicago mais duas vezes durante este período, mas não lhe trouxe mais presentes quando retornou ao circo. Durante aquelas longas semanas, nenhuma vez ele foi ao trailer de Jo.

No começo, o modo diferente a confundiu. Ele não estava zangado, o humor não era nem furioso nem gélido, mas ficava em um estranho meio-termo que ela não compreendia; e Jo morria de amor por ele. Conforme os dias se transformavam em semanas, foi obrigada a admitir que Keane parecia não estar interessado num relacionamento mais próximo.

Na véspera do espetáculo de Quatro de Julho, Jo estava sentada, insone, na cama. Segurava o volume de Dante, mas o livro apenas a lembrava do vazio que sentia. Fechou-o e, depois, olhou para o teto.

Era hora de sair daquilo, disse a si mesma. Era hora de parar de fingir que ele alguma vez fora parte da sua vida. Amar alguém apenas o torna parte de seus desejos. Ele jamais falara de amor, jamais prometera nada, jamais oferecera nada, a não ser o que lhe dera. Não fizera nada para magoá-la. Jo fechou os olhos com força e comprimiu o livro entre os dedos. *Como gostaria de poder odiá-lo por me mostrar o que a vida poderia ser e então se afastar*, pensou.

Mas não posso. Jo deixou escapar uma respiração trêmula e relaxou os dedos que apertavam o livro. Bem de leve, passou um dedo pela capa lisa de couro. *Não posso odiá-lo e também não posso amá-lo abertamente. Como faço para parar? Devia me sentir grata por ele ter deixado de me querer. Teria feito amor com ele e sofreria cem vezes mais. Posso sofrer cem vezes mais?* Por alguns minutos, ficou deitada, imóvel, tentando acalmar os pensamentos.

É melhor não saber, disse a si mesma com severidade. É melhor lembrar que ele foi gentil comigo quando precisei dele e que não tenho o direito de fazer exigências. O verão não vai durar para sempre e posso nunca mais vê-lo quando terminar. Pelo menos, *posso manter agradável o tempo que temos.*

As palavras pareceram ocas ao coração.

Capítulo Nove

Quatro de julho era um dia de grande trabalho, com a viagem até um novo acampamento, o levantamento das tendas, um desfile de rua e dois espetáculos, mas era também feriado.

Os elefantes usavam plumas vermelhas, brancas e azuis sobre suas enormes cabeças. O espetáculo da noite seria realizado uma hora mais cedo por causa da exibição dos fogos de artifício. Tradicionalmente, o circo Prescott se preparava para passar o feriado na mesma pequena cidade do Tennessee.

A licença e os documentos necessários para a queima de fogos eram preparados com antecedência, e os fogos eram enviados com antecedência, para serem armazenados num depósito. O procedimento fora exatamente o mesmo durante anos. Era uma das noites mais lucrativas do circo.

Jo passou o dia com alegria determinada. Recusava-se a permitir que a distância entre ela e Keane estragasse um dos melhores momentos do verão. A tristeza, concluiu, não mudaria as coisas. A alegria da multidão ajudou a manter-lhe a animação.

Havia, entre os espetáculos, um intervalo inevitável. Alguns artistas se sentavam do lado de fora de seus trailers, batendo papo e desfrutando o sol. Outros ensaiavam um pouco mais ou trabalhavam algumas poucas falhas. Empregados davam banho nos elefantes, provocando uma pequena enchente na área reservada a eles.

Jo observava o banho dos paquidermes com diversão. Jamais deixara de gostar deste aspecto em particular da vida do circo, em especial se havia um ou dois empregados inexperientes envolvidos. Invariavelmente, Maggie ou outro dos elefantes veteranos encheria a tromba de água e a jogaria sobre os novatos como um ritual de iniciação. Embora Jo soubesse que os empregados veteranos incentivavam os elefantes, eles sempre aparentavam total inocência.

Quando avistou Duffy, Jo se afastou da área dos elefantes e foi em direção a ele. Viu que estava conversando seriamente com um homem da cidade. Era baixo como Duffy, só que mais largo ou, como Frank dizia, tinha uma estrutura de sucesso. O estômago começava no alto e se estendia como um barril até abaixo da cintura. Tinha um rosto vermelho e olhos claros que se entrecerravam com força à luz do sol.

Jo conhecia aquele tipo e se perguntou o que estaria vendendo e o quanto cobraria. Como Duffy estava bufando de raiva, Jo presumiu que era muito.

— Estou lhe dizendo, Carlson, já pagamos pelo armazenamento. Tenho um recibo assinado. E pagamos 15 dólares pela entrega, não vinte.

Carlson estava fumando um cigarro pequeno, sem filtro, e o deixou cair no chão.

— Você pagou a Myers pelo armazenamento, não a mim. Comprei o depósito há seis semanas. — Os largos ombros fizeram um movimento de desdém. — Não é problema meu se pagou adiantado.

Jo ouviu vozes ao lado, olhou e viu Keane se aproximando com Pete, que falava rapidamente e Keane concordava. Enquanto Jo observava, Keane olhou para frente e fez uma breve análise de Carlson. Jo vira aquele olhar antes e sabia que o homem estava sendo avaliado. Keane a avistou e sorriu ao passar por ela.

— Oi, Jo.

Sem vergonha nenhuma de ser curiosa, Jo o acompanhou.

— O que está acontecendo?

— Por que não vamos descobrir? — sugeriu ele enquanto paravam diante de Duffy e Carlson. — Senhores, algum problema? — disse Keane com educação.

— Este sujeito... — Duffy bufou, esticando um polegar para o rosto de Carlson. — Quer que paguemos duas vezes pelo armazenamento dos fogos de artifício. E também quer vinte dólares para fazer a entrega, quando fechamos em 15 dólares.

— Myers fechou em 15 — lembrou Carlson e sorriu sem humor. — Eu não fechei coisa nenhuma. Você quer seus fogos. Tem de pagar por eles antes... Em dinheiro — acrescentou, olhando de relance para Keane. — Quem é este cara?

Duffy começou a ofegar de indignação, mas Keane colocou uma das mãos sobre o ombro dele para acalmá-lo.

— Sou o Prescott — respondeu Keane sem se alterar. — Talvez queira me dar os detalhes.

— Prescott, é? — Carlson coçou a papada enquanto observava Keane. Viu juventude e olhos amáveis e se sentiu mais perto do sucesso. — Bem, agora estamos chegando a algum lugar — disse com jovialidade e estendeu a mão. Keane apertou-a sem hesitação. — Jim Carlson — continuou enquanto sacudia a mão de Keane. — Você tem um belo circo aqui, Prescott. Eu e a patroa assistimos ao espetáculo todos os anos. Bem, agora... — disse ele e puxou o cinto para cima. — Vendo que você também é um homem de negócios, tenho certeza de que podemos resolver tudo. O problema é que seus fogos de artifício estão armazenados no meu depósito. Agora, tenho de ganhar a vida. Eles não podem ficar lá de graça. Comprei o lugar de Myers seis semanas atrás. Não posso ser considerado responsável por um acordo que fez com ele, posso? — Carlson deu um sorriso largo, satisfeito por perceber que Keane o ouvia com educação. — E, quanto à entrega, bem... — fez um gesto de impotência e deu uma palmada no ombro de Keane. — Você sabe como estão os preços da gasolina ultimamente, filho. Mas podemos resolver isso assim que acertarmos este outro probleminha.

Keane acenou, concordando.

— Parece justo — ignorou os bufos e resmungos de Duffy. — Mas parece que o senhor tem um problema, sr. Carlson.

— Não tenho problema nenhum — replicou. O sorriso se contraiu um pouco. — O problema é de vocês, a menos que não queiram os fogos de artifício.

— Ah, os fogos de artifício são nossos, sr. Carlson — corrigiu Keane com um sorriso que Jo considerou mais cruel do que amigável. — De acordo com o parágrafo três da seção cinco do Código de Pequenas Empresas, o proprietário de um depósito é responsável legalmente por todos os contratos, acordos, penhoras e hipotecas do proprietário anterior até o momento em que os referidos contratos, acordos, penhoras e hipotecas expirem ou sejam transferidos.

— Do que... — começou Carlson sem sorrir mais, porém Keane continuou no mesmo tom inalterado.

— Evidentemente, não vamos levar o problema aos tribunais se recebermos nossa mercadoria. Mas isso não resolve o seu problema.

— Meu problema? — gaguejou Carlson enquanto Jo observava tudo com clara admiração. — Não tenho problema nenhum. Se você acha...

— Ah, mas o senhor tem, sr. Carlson. Embora eu acredite que não teve intenção de violar a lei.

— Violar a lei? — Carlson enxugou as mãos úmidas de suor na calça.

— Armazenar explosivos sem licença — explicou Keane. — A menos, é claro, que tenha obtido uma depois de comprar o depósito.

— Bem, não, eu...

— Imaginei isso. — Keane ergueu a sobrancelha, penalizado. — Sabe, o parágrafo seis da seção cinco do Código de Pequenas Empresas estabelece que todas as licenças, permissões e certificados de um depósito não são transferíveis. A autorização para novas licenças, permissões e certificados deve ser pedida por escrito pelo dono atual. Em cartório, é claro. — Keane esperou um pouco para permitir que Carlson entendesse. — Se não estou enganado... — continuou em tom de conversa. — A multa é muito alta neste estado. É claro, a sentença depende de...

— Sentença? — Carlson ficou pálido e enxugou a nuca com um lenço.

— Escute, vou fazer uma sugestão. — Keane dirigiu a Carlson um sorriso compreensivo. — O senhor mande os fogos para cá, tirando--os de sua propriedade. Não precisamos usar a lei para uma coisa desse tipo. Afinal, foi apenas um descuido. Somos ambos homens de negócios, não somos?

Abalado demais para perceber a ironia, Carlson fez que sim.

— Quinze dólares na entrega, certo?

Carlson não hesitou. Guardou o lenço úmido no bolso e fez que sim de novo.

— Então está tudo certo. O dinheiro estará disponível para o senhor na entrega. Fiquei contente em ajudá-lo.

Aliviado, Carlson se virou e se dirigiu para sua caminhonete. Jo conseguiu manter as feições em uma expressão séria até ele sair do acampamento. Ao mesmo tempo, Pete e Duffy caíram na gargalhada.

— Aquilo é verdade? — quis saber Jo segurando o braço de Keane.

— O que é verdade? — retorquiu Keane, apenas erguendo a sobrancelha para a histeria de risos ao redor dele.

— Parágrafo três, seção cinco, do Código de Pequenas Empresas — citou Jo.

— Nunca ouvi falar — respondeu Keane na maior calma, quase matando Pete de rir.

— Você inventou — disse Jo, maravilhada. — Você inventou aquilo tudo!

— Provavelmente — concordou Keane.

— A melhor lorota que já vi em anos — declarou Duffy, dando um tapinha paternal nas costas de Keane. — Filho, devia se tornar um profissional.

— Já fiz isso — disse Keane e sorriu.

— Nunca precisei de um advogado — comentou Pete, empurrando o boné ainda mais para trás. — Mas agora sei quem procurar quando precisar. Venha à tenda da cozinha esta noite, capitão. Vamos jogar pôquer. Vamos, Duffy, Buck precisa ouvir essa história.

Quando se afastaram, Jo percebeu que Keane havia sido oficialmente aceito. Antes, tinha sido o proprietário legal, mas um estranho, um homem da cidade. Agora, era um deles. Virando-se, ergueu o rosto para o dele.

— Bem-vindo a bordo.

— Obrigado. — Jo percebeu que ele compreendera exatamente o que não fora dito.

— Eu o verei no jogo — disse ela, sorrindo. — E não se esqueça de levar dinheiro.

Ela se virou, mas Keane lhe tocou o braço, voltando-a para ele.

— Jo? — começou, deixando-a intrigada com a súbita seriedade nos olhos dele.

— Sim?

Houve uma breve hesitação. Então, ele balançou a cabeça.

— Nada, não tem importância. Vejo você mais tarde. — Ele roçou os nós dos dedos no rosto dela e se afastou.

Jo analisou as cartas na mão, impassível. Na última distribuição de cartas, perdera uma sequência de copas por uma carta e agora esperava que alguém abrisse. Como quem não quer nada, olhou ao redor da mesa. Duffy estava fumando um charuto, aparentemente despreocupado com a diminuição das fichas diante dele. Pete mascava seu chiclete com igual indiferença. Amy, a esposa do engolidor de espadas, estava sentada ao lado dele; depois Jamie e então Raoul. Ao lado de Jo, estava Keane que, como Pete, ganhava disparado.

As fichas sobre a mesa tilintaram e cresceram. Jo descartou e ficou contente por trocar um paus pela quinta carta de copas. Inseriu-a entre as cartas na mão sem piscar. Frank lhe ensinara a jogar. Antes da segunda rodada de apostas, Jamie fechou as cartas, desgostoso.

— Não devia nunca ter tomado o lugar de Buck — resmungou, franzindo a testa quando Pete aumentou a aposta.

— Você saiu foi no lucro, garoto — disse-lhe Duffy pesarosamente enquanto jogava mais fichas no centro. — Só estou aqui para não mudar meu padrão de vida. O dinheiro faz isso com você — murmurou em tom sombrio.

— Três reis — anunciou Pete, abrindo as cartas. Em meio a reclamações, os outros jogadores mostraram as cartas.

— Sequência de copas — disse Jo calmamente antes que Pete pudesse recolher as fichas.

Duffy se recostou e deu uma gargalhada.

— É isso aí, garota. Odeio vê-lo ganhar todo o meu dinheiro.

Nas duas horas seguintes, a tenda da cozinha ficou cada vez mais quente e tomada pelos cheiros de café, tabaco e cerveja. O azar de Jamie foi tão grande que ele chamou Buck para substituí-lo. Jo se viu com um mero par de cincos. Quase imediatamente as apostas aumentaram bastante depois que Keane cobriu a de Raoul. A curiosidade manteve Jo na rodada, mas, na seguinte, ela saiu. Afastada do jogo, observou-o com interesse. Debruçada nos cotovelos, estudou cada participante. Keane jogava bem, pensou, os olhos nada revelavam. Jamais revelavam nada. Estava relaxado, com uma cerveja ao lado, enquanto Duffy, Buck e Amy também saíam da rodada. Analisando-o de perto, Pete mastigava o chiclete. Keane devolveu o olhar, mantendo o toco do charuto entre os dentes. Raoul resmungou em francês e franziu a testa para suas cartas.

— Pode estar blefando — pensou Pete em voz alta ao ver Keane aumentar a aposta. — Aumento mais cinco e quero ver o que vem por aí.

Raoul xingou em francês, depois em inglês, fechou a mão e desistiu. Lentamente, Keane contou as fichas necessárias e as jogou no meio da mesa. Era uma montanha de plástico vermelho, branco e azul. Depois, contou mais algumas.

— Cubro suas cinco e aumento para dez — disse tranquilamente.

Houve resmungos em torno da mesa. Pete olhou suas cartas e pensou. Movendo os olhos, observou a pilha generosa de fichas diante dele. Podia arriscar outras dez. Olhou para cima e observou o rosto de Keane enquanto acariciava suas fichas. De repente, sorriu.

— Não — disse ele simplesmente, virando as cartas para baixo. — Esta mão é toda sua.

Deixando as cartas na mesa, Keane puxou uma quantidade enorme de fichas.

— Vai mostrá-las? — perguntou Pete com um sorriso afável.

Keane acrescentou uma ficha separada à pilha e deu de ombros. Com a mão livre, virou as cartas. A reação variou de xingamentos a risadas.

— Lixo — resmungou Pete balançando a cabeça. — Nada além de lixo. Você tem nervos de aço, capitão. — O sorriso aumentou quando virou as próprias cartas. — Até eu tinha um par de setes.

Raoul rangeu os dentes e xingou com elegância em duas línguas. Jo sorriu à escolha imaginativa de palavras, levantou-se com uma risada e pegou o chapéu mole de feltro que Jamie usava. Com agilidade, jogou suas fichas dentro dele.

— Depois me dê o dinheiro — pediu ela, dando-lhe um beijo estalado na boca. — Mas não jogue com elas.

Duffy franziu a testa.

— Não está saindo cedo demais?

— Você sempre me disse para deixar os outros querendo mais — lembrou ela. Com um sorriso e um aceno, passou pela porta.

— Esta Jo — disse Raoul, rindo enquanto embaralhava as cartas. — É uma jogadora esperta.

— Ousada — corrigiu Pete, abrindo um novo chiclete. Observou que o olhar de Keane se desviou para a porta que ela acabara de fechar. — E linda também — comentou e observou o olhar de Keane se voltar para ele. — Não acha, capitão?

Keane empilhou as cartas que recebia.

— Jo é encantadora.

— Como a mãe dela — acrescentou Buck, olhando as cartas com a testa franzida. — Era uma beleza, não era, Duffy? — Duffy rosnou, concordando, e se perguntou por que a sorte se recusava a sorrir para ele. — Sempre achei um crime ela morrer daquele jeito e Wilder também — acrescentou, balançando a cabeça.

— Um incêndio, não foi? — perguntou Keane enquanto pegava as cartas e as arrumava na mão.

— Incêndio por curto-circuito. — Buck acenou e tomou um gole de cerveja. — Na fiação do trailer deles. Que desperdício. Se não estivessem dormindo, provavelmente teriam sobrevivido. O trailer já estava meio queimado quando alguém viu e deu o alarme. Não era mais possível chegar aos Wilder. O lado deles do trailer parecia uma fornalha. O quarto de Jo era do outro lado e quase a perdemos também. Frank entrou pela janela e a tirou. Pobrezinha... Estava segurando sua boneca como se fosse a última coisa que tinha no mundo. Ficou agarrada a ela não sei por quanto tempo. Lembra, Duffy? — Olhou suas cartas e abriu com duas fichas. — A boneca tinha só um braço. — Duffy rosnou de novo e fechou as cartas. — Frank com certeza sabia como lidar com aquela menina.

— Provavelmente ela é que sabia lidar com ele — resmungou Duffy. Raoul jogou cinco na mesa e Keane fechou as cartas.

— Volto para a próxima mão — disse ele enquanto se levantava e se dirigia para a porta. Um dos irmãos Gribalti tomou a cadeira que Jo deixara vaga e Jamie se sentou na de Keane. Curioso, ergueu a ponta das cartas. Viu que o jogo era bom e, com uma expressão pensativa, observou a porta se fechar.

Do lado de fora, Jo andou pela noite quente. Com um olhar para o céu, lembrou-se dos fogos de artifício. Tinham sido maravilhosos, pensou, acendendo as estrelas com a explosão de cores. Embora tivesse acabado e um novo dia estivesse próximo, ainda sentia um pouco da magia. Sem sono, andou em direção à Grande Tenda.

— Oi, linda senhora.

Jo olhou para as sombras e semicerrou os olhos. Mal conseguia enxergar quem era.

— Ah, você é o Bob, não é? — Parou e lhe deu um sorriso amigável. — Você é novo no circo.

Ele se aproximou.

— Estou aqui há quase três semanas.

Era jovem, percebeu Jo, mais ou menos da idade dela, com uma estrutura sólida e um rosto de feições angulares. Naquela mesma tarde, vira Maggie jogar água nele.

Jo colocou as mãos nos bolsos da bermuda e continuou a sorrir. Parecia que ele achava que três semanas o tornavam um veterano.

— Gosta de trabalhar com os elefantes?

— É legal, mas gosto mais de erguer a tenda.

Jo compreendeu o sentimento.

— Eu também. Há um jogo na tenda da cozinha — disse ela com um gesto do braço. — Talvez você queira participar.

— Prefiro ficar com você. — Quando ele se aproximou, Jo sentiu o leve cheiro de cerveja. Ele estivera celebrando, pensou, e balançou a cabeça.

— É uma sorte amanhã ser segunda-feira, pois ninguém vai estar em condições de erguer uma tenda — comentou ela. — Devia ir para a cama ou tomar um café — sugeriu.

— Vamos para o seu trailer. — Bob cambaleou um pouco. Depois, segurou o braço dela.

— Não. — Com firmeza, Jo se virou na direção oposta. — Vamos para a tenda da cozinha.

Os avanços dele não a incomodavam. Estava muito perto da tenda da cozinha e, se gritasse, uma dúzia de homens fortes viria atacando. Mas era exatamente isso que Jo pretendia evitar.

— Quero ir com você — disse ele, tropeçando nas palavras enquanto se afastava de novo da tenda da cozinha. — Você fica tão linda naquela jaula com os leões. — Bob colocou os dois braços em torno dela, mas Jo sentiu que era tanto para se equilibrar quanto para assediá-la. — Um cara precisa de uma linda dama de vez em quando.

— Vou alimentar meus leões com você se não me soltar — advertiu Jo.

— Aposto que você pode ser uma gata selvagem — murmurou ele e procurou, desajeitado, a boca de Jo.

Embora sua paciência estivesse no fim, Jo aguentou o beijo que errou sua boca por um triz. As mãos, porém, tinham uma mira melhor e lhe agarraram com firmeza o traseiro. Perdendo o bom humor, Jo o empurrou, mas ele não a soltou. Num movimento rápido, ela ergueu o punho e o atingiu diretamente no queixo. Com apenas um som leve de espanto, Bob caiu sentado com força no chão.

— Bem, e eu que pensei que precisasse salvá-la — comentou Keane atrás dela.

Voltando-se rapidamente, Jo arrumou o cabelo e suspirou, aborrecida. Teria sido melhor se não houvesse testemunhas. Mesmo à luz fraca, podia ver que ele estava furioso. Instintivamente, deu um passo entre ele e o homem sentado no chão, que estava segurando o queixo e tentando se livrar do zumbido nos ouvidos.

— Ele... Bob apenas ficou entusiasmado demais — disse ela depressa, colocando a mão no braço de Keane para fazê-lo parar. — Estava comemorando.

— Eu mesmo estou me sentindo um pouco entusiasmado — afirmou Keane. Quando fez um movimento para afastá-la, Jo o segurou com mais força.

— Não, Keane, por favor.

Ele olhou com raiva para Jo.

— Jo, quer me largar para eu resolver isso?

— Não até que me ouça. — A leve insinuação de divertimento nos olhos dela apenas o enraiveceu mais e Jo lutou para conter o riso. — Keane, por favor, não seja duro com ele. Ele não me feriu.

— Ele estava atacando você — interrompeu Keane. Mal resistia ao impulso de sacudi-la e agarrar o ainda sentado Bob pelo colarinho.

— Não, ele estava mais se apoiando em mim. O equilíbrio dele está um pouco prejudicado. Apenas tentou me beijar — explicou ela, com prudência, esquecendo as mãos atrevidas. — Eu o atingi com mais força do que devia. Ele é novo aqui, Keane, não o demita.

Exasperado, ele a encarou.

— Demiti-lo é a última coisa que tinha em mente.

Jo sorriu, incapaz de esconder o brilho dos olhos.

— Se estava pensando em vingar minha honra, ele nem sequer a violou. Não acho que deva bater nele por isso. Talvez colocá-lo no pelourinho por um ou dois dias.

Keane praguejou baixinho, mas um sorriso relutante surgiu nos cantos da boca e, vendo-o, Jo lhe soltou o braço.

— A srta. Wilder não quer que eu o castigue — disse ao abalado Bob numa voz fria que Jo concluiu que ele usava para intimidar testemunhas no tribunal. — Ela tem um coração mais bondoso do que o meu. Portanto, não vou bater em você ou expulsá-lo do circo, como pensei em fazer. — Parou de falar por um momento, dando a Bob tempo para considerar as possibilidades. — Em vez disso, vou deixá--lo dormir até passar o seu entusiasmo excessivo. — Com um gesto rápido, levantou Bob. — Mas, se algum dia souber que respirou perto da srta. Wilder ou de qualquer outra de minhas funcionárias sem ser convidado, voltaremos à primeira escolha. E, antes que o tire daqui a pontapés, quero que saiba que vou espalhar que foi derrubado pelo soco de uma mulher que não pesa nem cinquenta quilos — acrescentou, em voz baixa e ameaçadora.

— Sim, senhor, sr. Prescott — disse Bob com a maior firmeza na voz que conseguiu.

— Vá para a cama — disse Jo gentilmente, vendo como ele estava pálido. — Você se sentirá melhor pela manhã.

— É evidente... — comentou Keane enquanto Bob se afastava. — Que você nunca bebeu. — Virou-se para Jo e sorriu. — A última coisa que sentirá pela manhã é estar bem. — Jo sorriu, feliz de Keane conversar com ela sem o escudo da cortesia. — E onde aprendeu a dar aquele golpe de direita? — perguntou enquanto pegava a mão dela para examiná-la.

Jo riu, permitindo que os dedos de Keane se entrelaçassem aos seus.

— Dificilmente o derrubaria se ele já não estivesse inclinado em direção ao chão. — O rosto dela se virou para o dele, brilhando à luz das estrelas. Nos olhos de Keane, uma expressão que ela não compreendeu surgiu e desapareceu. — Há alguma coisa errada?

Por um momento, Keane nada disse, e o coração dela disparou enquanto esperava ser beijada.

— Não, nada — disse ele, e o momento se estilhaçou. — Vamos. Vou acompanhá-la de volta ao trailer.

— Não estava indo para lá. — Querendo que ele ficasse relaxado de novo, deu-lhe o braço. — Se vier comigo, eu lhe mostrarei uma coisa mágica. — O sorriso dela era convidativo. — Você gosta de mágica, não gosta, Keane? Até mesmo um advogado sério e dedicado deve gostar de mágica.

— É assim que me vê? — Jo quase riu ao perceber o traço de aborrecimento na voz dele. — Como um advogado sério e dedicado?

— Ah, não completamente, embora isso seja parte de você. — Jo gostou da sensação de, no momento, tê-lo para si. — Você também é aventureiro e tem um ótimo senso de humor. Fora o seu gênio terrível — acrescentou, com ênfase exagerada.

— Você parece me conhecer muito bem.

— Ah, não — Jo parou e se virou para ele. — De jeito nenhum. Só o conheço como é aqui e apenas posso imaginar como é em Chicago.

Ele ergueu as sobrancelhas, a atenção despertada.

— Acha que sou diferente lá?

— Não sei. — A testa de Jo se franziu enquanto pensava. — Não é? As circunstâncias são. Provavelmente tem uma casa ou um apartamento enorme e uma empregada que trabalha uma vez... Não, duas vezes por semana. — Entusiasmada pelo quadro que formava, Jo olhou para a distância e acrescentou detalhes. — Você tem um escritório com uma vista da cidade, uma secretária muito eficiente e um assistente brilhante. Vai a almoços de negócios no clube. No tribunal, é implacável e muito bem-sucedido. Tem seu próprio alfaiate e frequenta a academia três vezes por semana. Vai ao teatro nos fins de semana e faz alguma atividade física, como tênis, talvez; não, golfe; não, handebol.

Keane balançou a cabeça.

— É esta a mágica?

— Não. — Jo deu de ombros e recomeçou a andar. — Apenas adivinhação. Não precisa ter muito dinheiro para saber como as pessoas se comportam. E sei que leva o Direito muito a sério. Não escolheria uma carreira que não fosse muito importante para você.

Keane andou em silêncio. Quando falou, a voz era calma.

— Não tenho certeza se me sinto confortável com o seu pequeno resumo da minha vida.

— É muito superficial — disse Jo. — Eu precisaria entendê-lo melhor para preencher as lacunas.

— E você acha que não?

— O quê? Que não entendo você? — Ela riu, pois a pergunta era absurda. — Não, não o entendo. Como poderia? Você vive num mundo diferente. — Com isso, ela abriu a entrada da Grande Tenda e andou na escuridão. Quando apertou o interruptor, duas filas de lâmpadas no teto se acenderam. As sombras preenchiam os cantos e caíam sobre os assentos na arena.

— É maravilhoso, não é? — A voz clara atingia todos os pontos da tenda e ecoava de volta. — Não está vazio, sabe. Eles estão sempre aqui... Os artistas, a plateia, os animais. — Jo andou para frente até ficar na terceira fileira. — Sabe o que é isto? — perguntou, erguendo os braços e fazendo um círculo completo. — É uma maravilha imutável num mundo em transformação. Não importa o que aconteça lá fora. Aqui são outros quinhentos. Somos o mais frágil dos circos, à mercê dos elefantes, das emoções, da mecânica, dos caprichos do público. Mas, seis dias por semana, por 29 semanas, fazemos milagres. Construímos um mundo ao nascer do dia. Depois, desaparecemos na escuridão. Isso é parte do circo... O mistério. — Esperou Keane se juntar a ela. — Tendas surgem em espaços vazios; elefantes e leões caminham pela rua principal das pequenas cidades. E jamais ficamos velhos porque cada nova geração nos descobre de novo. — Ela parou, esguia e delicada num círculo de luz. — A vida aqui é louca e difícil. Locais enlameados, horas insanas, músculos doloridos, mas, quando você termina um número e tem aquela sensação que lhe diz que foi especial, não há nada igual no mundo.

— É por isso que você faz o que faz? — perguntou Keane.

Jo balançou a cabeça e saiu do círculo da luz para a escuridão de outra fileira de cadeiras.

— Tudo é parte da mesma coisa. Imagino que todos temos nossos motivos. Você já me fez esta pergunta. Não tenho certeza se posso explicar. Talvez seja porque todos acreditamos em milagres. — Ela se virou sob a luz, que brilhou em torno dela. — Passei a minha vida toda aqui, conheço todos os truques, todas as ilusões. Sei como o pai de Jamie coloca vinte palhaços num carro de dois lugares mas, toda vez, acho graça e acredito. Não é apenas a excitação, Keane, é a expectativa da excitação. É saber que vai ver o maior ou o menor ou o mais rápido ou o mais alto.

Jo correu para a arena central e jogou os braços para cima.

— Senhoras e senhores! — anunciou, jogando a cabeça para trás. — Para encantamento e assombro, pela primeira vez na América, um número inacreditável de imensos e poderosos paquidermes lidera uma estupenda apresentação de coreografia feita pela Grande Serena. — Jo jogou o cabelo para trás num movimento rápido. — Elefantes dançarinos! — disse a Keane, contente por ele estar sorrindo — Ou ouve o locutor no espetáculo secundário quando ele começa seu discurso. Aproximem-se, venham mais para perto. — Ela curvou os dedos num gesto de convite. — Vejam a Impressionante Serpentina e suas monstruosas e sinuosas víboras. Observem uma jovem encantar uma cobra letal. Vejam quando ela aceita o abraço de uma gigantesca jiboia. Não percam a chance de ver a encantadora da serpente malvada!

— Acho que Baby podia mover uma ação por injúria.

Jo riu e saiu da arena.

— Mas, quando as multidões veem a pequena Rose com uma jiboia em torno dos ombros, sentem que o dinheiro que gastaram valeu a pena. Nós lhes damos o que procuram: cores, fantasia, o único. Emoções. Você já viu a plateia quando Vito executa o número no arame sem rede de proteção.

— Uma rede parece uma proteção muito frágil quando ele está se equilibrando sobre um arame a sessenta metros de altura. — Keane pôs as mãos nos bolsos e franziu a testa. — Ele arrisca a vida todos os dias.

— Assim como um policial ou um bombeiro — disse Jo suavemente, descansando as mãos nos ombros dele. Mais do que nunca, parecia necessário fazê-lo compreender o sonho do pai. — Sei o que está dizendo, Keane, mas precisa nos compreender. O elemento de perigo é essencial a muitos números. Você pode ouvir a plateia segurar a respiração quando Vito faz o salto mortal de costas sobre o arame. Ficariam impressionados se ele usasse uma rede, mas não aterrorizados.

— E precisam ficar?

A expressão sóbria de Jo se iluminou.

— Ah, sim! Precisam ficar aterrorizados e fascinados e hipnotizados. Está tudo incluído no preço da entrada. Este é um mundo de superlativos. Testamos os limites da ousadia humana e, a cada dia, ela muda. Sabe quanto tempo levou até o primeiro homem realizar o salto triplo no trapézio? Agora é quase um padrão. — Um lampejo de excitação brilhou nos olhos de Jo. — Um dia, alguém fará um quádruplo. Se hoje um homem fica em pé na arena e faz malabarismos com três tochas, amanhã alguém os fará sobre o lombo de um cavalo a galope e depois disso haverá um grupo jogando as tochas uns para os outros enquanto se balançam num trapézio. É nosso trabalho fazer o inacreditável. Então, quando é feito, convém fazer o impossível. Simples assim.

— Simples — murmurou Keane, erguendo uma das mãos para acariciar o cabelo dela. — Imagino se pensaria assim se pudesse ver de fora.

— Não sei. — Os dedos de Jo apertaram o ombro de Keane enquanto este mergulhava a outra mão no cabelo dela. — Jamais vi.

Como se seu pensamento estivesse apenas nele, Keane penteou o cabelo de Jo com os dedos. Aos poucos, puxou-os para trás até que suas mãos emoldurassem o rosto de Jo. Estavam em pé num facho de luz que lançava suas longas sombras atrás deles.

— Você é tão linda — murmurou.

Jo não falou nem se moveu. Havia alguma coisa diferente na maneira como a tocava dessa vez. Havia uma gentileza e uma hesitação que não sentira antes. Embora os olhos dele estivessem diretamente nos dela, Jo não conseguia decifrar o que expressavam. Seus rostos estavam muito próximos, e a respiração dele lhe roçava a boca. Jo passou os braços em torno do pescoço de Keane e o beijou.

Só naquele momento compreendeu o quanto se sentira vazia, como tinha uma necessidade desesperada de abraçá-lo. Seus lábios estavam famintos pelos dele. Jo o agarrou enquanto toda a gentileza desaparecia do toque dele. As mãos de Keane eram ávidas. As semanas em que não a tocara foram esquecidas enquanto a pele de Jo aquecia e fervilhava com o sangue acelerado. A paixão que sentia deixou de lado as inibições, e a língua procurou a dele, levando o beijo a profundidades mais sombrias e selvagens.

Os lábios deles se separaram apenas para se unirem mais uma vez com intensas e novas exigências. Ela compreendeu que todas as necessidades e todos os desejos se resumiam, no fim, a apenas um... Keane.

A boca de Keane se separou da dela e, por um instante, ele descansou o rosto no cabelo de Jo. Naquele momento, ela sentiu o mais completo contentamento de sua vida.

Abruptamente, ele se afastou e, perplexa, Jo o viu tirar um charuto do bolso. Ela ergueu a mão para passar pelo cabelo que ele havia desarrumado. Enquanto isso ele acendia o isqueiro.

— Keane? — Jo encarou-o, sabendo que seus olhos lhe ofereciam tudo.

— Você teve um longo dia — começou ele num tom estranhamente polido, e Jo se encolheu, como se ele tivesse batido nela. — Vou acompanhá-la de volta ao seu trailer.

Ela saiu da arena e se afastou de Keane; a dor lhe penetrando a alma.

— Por que está fazendo isso?

Para sua humilhação, lágrimas lhe encheram os olhos, e a garganta apertou. As lágrimas funcionaram como um prisma, refletindo a luz e lhe enevoando a visão. Ela piscou e Keane franziu a testa ao gesto.

— Vou acompanhá-la de volta — disse de novo. O tom indiferente da voz dele aumentou a fúria e a dor de Jo.

— Como ousa! — exclamou ela. — Como ousa me fazer... — A palavra *amar* quase lhe escapou e ela se conteve. — Como ousa me fazer querer você e depois se afastar! Eu estava certa sobre você desde o começo, mas pensei que estivesse errada. Você é frio e sem sentimentos. — A respiração era rápida e irregular, mas ela se recusou a se retirar até dizer tudo. O rosto estava pálido com a intensidade das emoções. — Não sei por que pensei que você, algum dia, entenderia o que Frank lhe deu. Precisa ter um coração para ver o intangível. Ficarei feliz quando a temporada terminar e você fizer o que quer que vá fazer. Ficarei feliz de nunca mais ter que ver você. Não permitirei mais que faça isso comigo! — A voz falhou, mas ela se esforçou para mantê-la firme. — Não quero que me toque nunca mais.

Keane observou-a por um longo momento. Então, tragou cuidadosamente o charuto.

— Está bem, Jo.

A enorme calma da resposta extraiu um soluço de Jo antes que se virasse e saísse correndo da Grande Tenda.

Capítulo Dez

Em julho, a caravana do circo rodeou a Virgínia, tocou a ponta da Virgínia Ocidental a caminho de Kentucky e, depois, seguiu para Ohio. As plateias se abanavam enquanto as temperaturas na Grande Tenda aumentavam, mas, mesmo assim, continuavam a comparecer.

Jo evitara Keane desde a noite de Quatro de Julho. Não foi tão difícil, já que ele passou metade do mês em Chicago cuidando de negócios.

Ela fazia as coisas no piloto automático: comia porque era necessário para manter as forças, dormia porque o sono era essencial para se manter alerta dentro da jaula. Não sentia prazer com o alimento nem seu sono a descansava. Como quase todos a conheciam bem, Jo tentava manter uma máscara de normalidade. Acima de tudo, precisava evitar perguntas, conselhos e compaixão. Era essencial, por causa de seu trabalho, manter as emoções sob controle a maior parte do tempo. Depois de algum esforço e alguns fracassos, conseguiu um sucesso razoável.

O treinamento de Gerry continuava, assim como seu progresso. A obrigação extra de trabalhar com ele ajudava Jo a preencher o pouco tempo livre de que dispunha. De tarde, quando não havia matinês programadas, Jo o levava para a grande jaula. Com o crescimento de sua proficiência, ela levou outros leões para se juntarem a Merlin. Na primeira semana de agosto, estavam trabalhando juntos com todos os leões.

Os únicos artistas que também ensaiavam na Grande Tenda eram os cavaleiros. Repassavam o número do Fio na Agulha no primeiro círculo. As patas ecoavam, abafadas, sobre o piso. Jo supervisionava enquanto Gerry comandava os felinos a formarem uma pirâmide. À sua ordem, Lazarus começou a subir a larga, arqueada escada que levava ao topo. Duas vezes ele hesitou e duas vezes Gerry foi obrigado a reforçar o comando.

— Bom — comentou Jo quando a pirâmide ficou completa.

— Ele não queria ir — começou Gerry a queixar-se, mas Jo o interrompeu.

— Não tenha pressa demais. Agora, faça-os descer. — Seu tom era firme e profissional. — Assegure-se de que eles desmontem e assumam seus lugares na ordem certa. É importante estabelecer uma rotina.

Com as mãos nos quadris, Jo observava. Em sua opinião, Gerry tinha bastante potencial. Era controlado, gostava dos animais e, aos poucos, estava desenvolvendo a paciência. No entanto, Jo ainda relutava em dar o passo seguinte no treinamento: deixá-lo sozinho na jaula. Nem mesmo com Merlin. Sentia que era arriscado demais. Gerry ainda era muito indiferente. Não tinha o respeito necessário pela astúcia dos leões.

Jo se moveu pela arena e os leões, acostumados com ela, não ficaram perturbados. Enquanto os animais se acomodavam em seus pedestais, ela se moveu mais uma vez para ficar ao lado de Gerry.

— Agora, caminharemos pela linha. Faça cada um se sentar antes de dispensá-los, um de cada vez.

Um a um, os leões se ergueram, apoiados nos traseiros e nas patas de trás, e moveram as patas da frente no ar. Jo e Gerry passaram, um por um. O calor era sufocante, e Jo mexeu os ombros, ansiosa por um chuveiro frio e roupas limpas. Quando chegaram a Hamlet, o grande felino ignorou o comando com um urro rebelde.

Bruto, mal-humorado, pensou Jo, distraída, enquanto esperava que Gerry repetisse a ordem. Ele o fez, mas se moveu para frente, a fim de enfatizar as palavras.

— Não, não tão perto! — advertiu Jo com rapidez mas, ainda enquanto falava, viu a mudança nos olhos de Hamlet.

Instintivamente, deu um passo à frente, afastando Gerry e protegendo-lhe o corpo com o dela. Hamlet atacou com as garras estendidas. Houve um momento de dor cega e quente no alto do braço, perto do ombro, quando a pele se rompeu. Rapidamente, ela enfrentou o leão, segurando com força o braço de Gerry enquanto ficavam fora de alcance.

— Não corra — ordenou, sentindo o gesto de pânico. O braço ardia, e o sangue jorrava. Mantendo os movimentos rápidos porém calmos, tomou o chicote da mão frouxa de Gerry e o bateu com força, usando o braço esquerdo. Ela sabia que, se Hamlet continuasse a desafiar e atacasse, tudo seria inútil. Os outros leões com certeza participariam da confusão e tudo terminaria antes que qualquer coisa pudesse ser feita. Abra já se movia, inquieta, e mostrou os dentes com um rugido.

— Abra a portinhola — disse Jo, a voz alta mas fria como gelo. — Recue para a jaula de segurança — disse a Gerry enquanto dava aos leões o sinal para sair da arena. — Preciso tirá-los daqui um de cada vez. Mova-se lentamente e, se eu lhe disser para parar, pare. Entendeu?

Ela o ouviu engolir em seco enquanto observava os felinos começarem a pular de seus pedestais e passar em fila pela portinhola.

— Ele a atacou. Está doendo muito? — As palavras eram pouco mais do que um sussurro e cheias de terror.

— Eu disse para ir. — Metade dos leões havia saído, mas os olhos de Hamlet estavam presos aos dela. Não havia tempo a perder. Uma parte de seu cérebro ouviu gritos do lado de fora da jaula, mas ela bloqueou o som e focou toda a sua concentração no felino. — Vá agora — repetiu para Gerry. — Faça o que estou mandando.

Ele engoliu em seco de novo e começou a recuar. Longos segundos se arrastaram até ela ouvir o som da porta da jaula de segurança. Quando chegou sua vez, Hamlet não fez nenhum movimento para sair do pedestal. Jo estava sozinha com ele. Podia sentir o cheiro do calor, o cheiro da selvageria e o aroma do próprio sangue. O braço era pura dor. Lentamente, ela o testou, recuando. A jaula de segurança parecia a centenas de quilômetros de distância. O leão ficou tenso imediatamente e ela parou. Sabia que ele não a deixaria cruzar a arena. Vencê-lo numa corrida era impossível, já que ele poderia cobrir a distância entre eles num pulo. Tinha de vencê-lo pelo blefe.

— Saia — ordenou com firmeza. — Saia, Hamlet. — Enquanto ele continuava a observá-la, Jo sentiu um fio de suor lhe descer pelas costas. A pele estava pegajosa e fria, em contraste com o calor do sangue que lhe descia pelo braço. Uma imagem súbita e viva surgiu-lhe na mente, de seu pai sendo arrastado pela jaula. O medo lhe subiu à garganta. Sentiu uma leveza na cabeça e sabia que um momento de terror a faria desmaiar. Endireitou a coluna e afastou o sentimento.

A velocidade era importante. Quanto mais tempo permitisse que o leão ficasse na arena depois de lhe dar a ordem, mais desafiador ele se tornaria. E mais perigoso. Por enquanto, ele ainda não sabia que tinha uma vantagem tão grande.

— Saia, Hamlet! — Jo repetiu o comando com um estalar do chicote. Ele pulou do pedestal. O estômago de Jo apertou. Cada músculo estava tenso e, enquanto o leão hesitava, ela repetiu o comando. Hamlet estava confuso e ela sabia que isso poderia ser sua vantagem ou seu fim. Confuso, ele poderia atacar ou recuar. Os dedos dela apertaram o cabo do chicote e tremeram. O felino andou, nervoso, e observou-a.

— Hamlet! — Ela ergueu a voz e disse cada sílaba separadamente — Saia! — Juntou às palavras, o sinal de mão que fazia antes de ele estar totalmente treinado ao comando de voz.

Como se rejeitado, Hamlet deixou a cauda relaxar e caminhou para a portinhola. Antes que se fechasse por completo, Jo caiu de joelhos. O corpo começou a tremer convulsivamente em reação ao choque. Não se passaram mais do que cinco minutos desde que Hamlet desafiara o comando de Gerry, mas seus músculos suportavam a tensão de horas. Por um instante, a visão ficou turva. Enquanto balançava a cabeça para clareá-la, Keane estava no chão ao lado dela.

Ouviu-o xingar, arrancando a manga rasgada de sua blusa na altura do ombro. Ele lhe fazia perguntas, mas Jo conseguia apenas balançar a cabeça e engolir o ar. Focalizando o olhar nele, percebeu que os olhos de Keane estavam muito escuros.

— O quê? — Ouvia a voz dele, mas não compreendia as palavras. Ele xingou de novo, dessa vez com clareza suficiente para Jo entender. Ergueu-a e, num movimento ágil, tomou-a nos braços.

— Não. — A mente dela lutava para romper o nevoeiro que a envolvia para voltar a funcionar de novo. — Estou bem.

— Cale a boca — disse ele, em tom áspero, enquanto a levava nos braços para fora da jaula. — Apenas cale a boca.

Como falar era um esforço, Jo obedeceu. Fechou os olhos e deixou que a mistura de vozes agitadas a envolvesse. O braço gritava de dor, mas a pulsação a tranquilizou. O entorpecimento a teria aterrorizado. Mesmo assim, manteve os olhos fechados, ainda sem coragem para ver a extensão do ferimento. Estar viva era o bastante.

Quando abriu os olhos de novo, Keane a carregava para dentro do vagão da administração. Ao som do caos que os seguia, Duffy saiu do escritório.

— O que... — começou ele. Então, parou e empalideceu sob as sardas. Moveu-se rapidamente para a frente enquanto Keane sentava Jo numa cadeira.

— É grave?

— Ainda não sei — resmungou Keane. — Pegue uma toalha e o kit de primeiros socorros.

Buck havia entrado atrás deles, já levando os itens pedidos, e os entregou a Keane. Então foi até o armário e localizou uma garrafa de conhaque.

— Não está tão ruim — Jo conseguiu dizer. Como a voz estava relativamente firme, criou coragem para olhar. Keane havia feito uma bandagem improvisada com os restos da manga. Embora o fluxo de sangue tivesse se tornado menor, havia o bastante para impedir que ela visse a extensão dos cortes e sentiu náusea.

— Como você sabe? — perguntou Keane com os dentes cerrados enquanto começava a limpar o ferimento. Molhou a toalha na bacia de água que Buck colocara ao lado dele e torceu-a para tirar o excesso.

— Não está sangrando tanto. — Jo engoliu o enjoo. À medida que a mente clareava, sentiu-se aborrecida com o tom da voz de Keane.

Percebendo o olhar dela, Keane a observou. Havia tanta fúria nos olhos dele que Jo tentou se afastar.

— Fique quieta — ordenou com impaciência, voltando a atenção para o braço dela.

O leão lhe dera apenas um golpe de raspão. Ainda assim, havia quatro longos cortes no braço, na altura do ombro. Jo cerrou o queixo quando a dor se espalhou; os movimentos bruscos de Keane causaram mais dor e ela lutou para não demonstrar. A reação ao medo se espalhava por seu corpo. Ansiava por ser abraçada, acalmada pelas mãos que cuidavam de seus ferimentos.

— Ela vai precisar de pontos — disse Keane, sem olhar para ela.

— E uma injeção antitoxinas — acrescentou Buck, entregando a Jo uma dose generosa de conhaque. — Beba isto, meu amor, vai ajudar a aliviar a dor. — A gentileza na voz quase a derrubou. Buck colocou a mão grande no rosto dela e, por um momento, Jo se pressionou contra a palma quente. — Beba agora — ordenou Buck de novo.

Obediente, Jo ergueu o copo e bebeu. A sala rodou e, depois, voltou ao foco. Ela fez um pequeno ruído e apertou o copo na testa.

— Conte o que aconteceu lá. — Buck agachou ao lado dela enquanto Keane começava a fazer um curativo provisório.

Jo levou um momento para respirar. Depois, baixou o copo e começou a falar com firmeza.

— Hamlet não obedeceu e Gerry repetiu o comando, mas deu um passo para a frente e ficou perto demais. Vi os olhos de Hamlet e percebi tudo. Devia ter agido mais depressa, devia estar observando com mais cuidado. Foi um erro idiota. — Ela olhou para o conhaque enquanto se culpava.

— Ela deu um passo para ficar entre o rapaz e o leão — Keane disse as palavras com raiva enquanto terminava o curativo. Tarefa concluída, levantou-se e se serviu de conhaque. Não se virou para olhar para Jo nenhuma vez. Magoada, ela olhou fixamente para as costas de Keane. Então se virou para Buck.

— Como Gerry está?

Buck a fez beber um pouco mais de conhaque. Um rosado leve já surgia no rosto de Jo.

— Pete está com ele, o fez colocar a cabeça entre os joelhos. Vai ficar bem.

Jo acenou.

— Acho que precisarei ir à cidade para cuidar disso. — Entregou o copo a Buck e imaginou se já conseguiria se levantar. Com outra respiração profunda, olhou para Duffy. — Providencie para que ele esteja pronto para entrar quando eu voltar.

Keane se virou.

— Entrar onde? — O rosto dele era tensão pura.

A voz de Jo era gelada quando respondeu.

— Na jaula. — Voltou os olhos para Buck. — Devemos conseguir treinar um pouco antes do espetáculo da noite.

— Não! — A cabeça de Jo se virou bruscamente ao som da voz de Keane. Por um momento, olharam-se com um antagonismo estranho, sem motivo. — Você não vai entrar lá de novo hoje. — A voz tinha uma autoridade seca.

— É claro que vou — retorquiu Jo, conseguindo impedir que a combinação de dor e raiva se expressasse em sua voz. — E, se Gerry quiser ser um treinador de leões, também entrará.

— Jo tem razão — interferiu Buck, tentando acalmar uma situação que percebia ser explosiva. — É como cair de um cavalo. Não pode esperar demais para montar ou jamais cavalgará de novo.

Keane não desviou os olhos de Jo nem por um segundo e continuou como se Buck não tivesse falado.

— Não permitirei.

— Não pode me impedir. — A indignação a fez se levantar. O movimento rápido fez seu braço protestar, e a luta para combater a dor ficou evidente em seus olhos.

— Sim, posso. — Keane tomou um longo gole de conhaque. — Este circo é meu.

Os punhos de Jo se fecharam com força ao tom da voz dele, ao uso negligente de autoridade. Nenhuma vez, desde que se ajoelhara ao lado dela na jaula, ele mostrara sinais de preocupação, de que gostaria de confortá-la e acalmá-la. E Jo precisara disso da parte dele. Para esconder o tremor na voz, manteve-a baixa.

— Mas não é meu dono, sr. Prescott. E, se verificar seus documentos e os aspectos legais, verá que não é dono dos leões nem do meu equipamento. Eu os comprei e os mantenho com meu salário. Meu contrato não lhe dá o direito de me dizer quando posso ou não treinar meus gatos.

O rosto de Keane era duro como granito.

— Nem lhe dá o direito de se instalar na Grande Tenda sem minha permissão.

— Então me instalarei em outro lugar — retrucou a treinadora. — Mas me *instalarei*. Aquele gato será treinado de novo hoje. Não correrei o risco de perder meses de treinamento.

— Mas correrá o risco de ser morta — retrucou Keane, colocando o copo sobre a mesa com força.

— E o que isso lhe interessa? — gritou Jo, perdendo qualquer resquício de controle. Os cortes em suas emoções eram tão profundos quanto os de sua carne. Passara pelo maior terror que já experimentara desde a morte dos pais. Mais do que qualquer outra coisa, queria os braços de Keane em torno de si. Queria ter de novo a segurança que sentira quando ele a deixara chorar sua dor por Ari em seus braços. — Não significo nada para você! — Balançou a cabeça com força, jogando o cabelo para trás. Havia um traço de histeria em sua voz e Buck colocou uma das mãos em seu ombro.

— Jo! — advertiu ele com a voz suave, profunda.

— Não! — Ela balançou a cabeça de novo e falou rapidamente. — Ele não tem o direito. — Voltou de novo os olhos brilhantes de fúria e emoção para Keane. — Você não tem o direito de interferir na minha vida. Sei o que tenho de fazer. Sei o que *farei*. Por que se importa com isso? Não é legalmente responsável se eu for atacada e ferida. Ninguém vai processá-lo.

— Espere um pouco, Jo. — Dessa vez, Buck falou com firmeza. Quando lhe segurou o braço ferido, sentiu os tremores que a sacudiam. — Ela está abalada demais para saber o que está dizendo — disse, virando-se para Keane.

Havia uma máscara sobre o rosto de Keane que escondia todas as emoções.

— Ah, acho que ela sabe exatamente o que está dizendo — discordou calmamente. Por um momento, houve apenas o som da respiração pesada de Jo e do conhaque caindo no copo. — Faça o que tiver que fazer, Jo — disse ele, depois de beber de novo. — Você está com toda razão quando diz que não tenho direitos no que se refere a você. Leve-a até a cidade — disse a Buck, virando-se de novo para a janela.

— Venha, Jo. — Buck levou-a para a porta, passando o braço pela cintura dela para apoiá-la. Quando saíram, Rose apareceu correndo.

— Jo! — Seu rosto estava branco de preocupação. — Jo, acabei de saber. — Observou o curativo com os olhos bem abertos, aterrorizados. — Como você está?

— São apenas arranhões — garantiu Jo, com o melhor sorriso que conseguiu. — Buck vai me levar até a cidade. Preciso de alguns pontos.

— Tem certeza? — Rose olhou para o homem alto para confirmar a informação. — Buck?

— Diversos pontos — corrigiu ele, dando uma palmadinha na mão de Rose. — Mas não é tão grave.

— Quer que eu vá com você? — Rose caminhou ao lado deles quando Buck começou a levar Jo de novo.

— Não, obrigada, Rose. — Jo sorriu com mais sentimento. — Estarei bem.

Rose conseguiu relaxar com o sorriso.

— Quando soube, pensei... Bem... Toda espécie de coisas horríveis. Estou feliz por você não estar ferida demais. — Chegaram à caminhonete de Buck, e Rose se debruçou para beijar o rosto de Jo. — Nós todos te amamos tanto.

— Eu sei. — Apertando-lhe a mão, Jo deixou que Buck a ajudasse a subir na cabine da caminhonete. Enquanto ele manobrava para sair do acampamento, Jo descansou a cabeça nas costas do assento e fechou os olhos. Não se lembrava de algum dia se sentir tão drenada, tão abalada.

— Está doendo muito? — perguntou Buck quando entraram na estrada asfaltada.

— Sim — respondeu, pensando tanto em seu coração quanto no braço.

— Você se sentirá melhor depois de levar os pontos.

Jo manteve os olhos cerrados, sabendo que alguns ferimentos jamais se fechavam. Ou, se fechavam, deixavam cicatrizes que doíam nos momentos mais inesperados.

— Não devia ter dito aquelas coisas a ele, Jo. — Havia uma leve censura na voz de Buck.

— Ele não devia ter interferido — retorquiu Jo. — Não é da conta dele. *Eu* não sou da conta dele.

— Jo, você nunca foi tão dura assim.

— Dura? — Ela abriu os olhos e os voltou para Buck. — E ele? Não poderia ter sido mais gentil? Ter mostrado pelo menos um pouco de compaixão? Tinha que falar comigo como se eu fosse uma criminosa?

— Jo, o homem estava apavorado. Você está vendo apenas um lado das coisas. — Buck coçou a barba e suspirou profundamente. — Você não sabe como é estar do lado de fora da jaula, impotente, quando alguém de quem você gosta está enfrentando a morte. Tive que segurá-lo com toda a força. Quase precisei nocauteá-lo para impedir que entrasse lá até convencê-lo de que, se o fizesse, apenas conseguiria que você morresse. Ele estava aterrorizado, Jo. Nós todos estávamos.

Jo balançou a cabeça, acreditando que Buck exagerara por causa do afeto por ela. A voz de Keane tinha sido dura, os olhos cheios de ódio.

— Ele não se importa — corrigiu ela suavemente. — Não como vocês. Você não me xingou, não foi frio comigo.

— Jo, as pessoas reagem de diferentes maneiras... — começou Buck, mas ela o interrompeu.

— Sei que ele não queria me ver ferida, Buck. Não é insensível e cruel. — Ela suspirou quando a força da raiva e do medo desapareceu, deixando-lhe o corpo vazio. — Por favor, não quero falar sobre ele.

Buck ouviu o cansaço na voz dela e lhe deu uma palmadinha na mão.

— Certo, querida, apenas relaxe. Logo tudo estará bem.

Nem tudo, pensou Jo, *nem tudo*.

Capítulo Onze

À medida que as semanas passavam, o braço de Jo perdia lentamente a rigidez. Os ferimentos sararam sem complicações. Os únicos traços eram cicatrizes finas que se tornariam menores, mas não desapareceriam. Ela descobriu, porém, que certo brilho sumira de sua vida e lutava constantemente contra uma vaga insatisfação.

Nada — nem o trabalho, nem os amigos, nem os livros — lhe devolvia o contentamento com que crescera. Tornara-se uma mulher e suas necessidades mudaram. Jo sabia que a raiz de seu problema era Keane, mas saber disso não resolvia as coisas.

Ele deixara o circo de novo na mesma noite do acidente. Quase quatro semanas depois, ainda não voltara. Três vezes Jo começou a escrever para ele, precisando diminuir a culpa que sentia pelas coisas duras que lhe dissera; três vezes rasgou o papel, frustrada. Não importava como combinava as palavras; eram erradas. Então, agarrou-se à esperança de que ele voltaria uma última vez. Se, ela sentia, pudessem se separar como amigos, sem amargura ou palavras ofensivas, poderia aceitar a ausência dele em sua vida. Desejando que isso acontecesse, foi capaz de retomar sua rotina com alguma tranquilidade. Ensaiava, apresentava-se, participava das tarefas diárias da vida do circo. Esperava. A caravana prosseguiu e chegou perto de Chicago.

* * *

Jo estava em pé na abafada Grande Tenda numa tarde do fim de agosto. Vestida com uma malha, treinava exercícios no chão com os irmãos Beirot. Foi esta atividade diária que ajudara a manter o braço ágil. Podia se mover agora, fazendo uma cambalhota para trás sem sentir nenhum protesto do braço machucado.

— Eu me sinto bem — disse Jo a Raoul enquanto trabalhavam. — Eu me sinto realmente bem — acrescentou, fazendo uma série de rápidas piruetas.

— Você não vai conseguir que seu ombro fique bom dançando com os pés — desafiou Raoul.

— Meu ombro está ótimo — replicou ela. Então, provou o que dizia debruçando-se e apoiando-se nas mãos, o corpo para o alto. Lentamente, abaixou as pernas para um ângulo de 45 graus, levando um pé ao joelho da outra perna. — Está perfeito. — Rolou para frente e ficou em pé com um pulo. — Forte como um touro — alegou, e se jogou para trás, apoiando-se novamente nas mãos, e deu uma cambalhota.

Aterrissou aos pés de Keane.

A enxurrada de emoções que a percorreu se refletiu brevemente nos olhos antes que ela recuperasse o equilíbrio emocional.

— Eu não... Eu não sabia que você estava de volta.

Imediatamente se arrependeu da idiotice de suas palavras, mas não encontrava outras. O anseio de correr para os braços dele era intenso. Perguntou-se como ele podia não perceber o desejo que exalava por todos o seus poros.

— Acabei de chegar. — Os olhos dele lhe observavam o rosto depois que as mãos caíram para as laterais do corpo. — Esta é minha mãe — acrescentou. — Rachael Loring, Jovilette Wilder.

Às palavras ditas, o olhar de Jo se afastou do rosto dele. Viu a mulher em pé ao lado de Keane. Se esbarrasse em Rachael Loring numa multidão de duas mil pessoas, saberia que era a mãe de Keane. A estrutura óssea era a mesma, embora a dela fosse mais elegante. As sobrancelhas eram asas douradas, erguendo-se nas pontas externas, como as de Keane. O cabelo era sedoso, escovado para trás e afastado do rosto, sem fios grisalhos para macular a perfeição dourada. Mas foram os olhos que abalaram Jo. Não imaginara vê-los em outro rosto que não fosse o de Keane. A mulher estava vestida com simplicidade, num terninho feito sob medida que revelava bom gosto e riqueza. No entanto, não havia nada da polidez fria e distante que Jo sempre atribuíra à mulher que deixara Frank e levara o filho. Havia charme no sorriso que a cumprimentava.

— Jovilette, que nome lindo! Keane me falou de você. — Estendeu a mão, e Jo a aceitou, pretendendo dar-lhe um aperto rápido e impessoal. Mas Rachael Loring colocou uma das mãos sobre as suas, de maneira calorosa. — Keane me disse que você era muito próxima de Frank. Talvez possamos conversar.

A afeição na voz dela confundiu Jo, que gaguejou ao responder.

— Eu... Sim, eu... Se quiser.

— Quero muito. — Rachael apertou a mão de Jo de novo antes de soltá-la. — Quem sabe você tenha tempo para me mostrar as coisas? — Ela sorriu ao perguntar, e Jo achou cada vez mais difícil se manter distante. — Tenho certeza de que houve algumas mudanças desde que estive aqui pela última vez. — Virou-se para Keane. — Você deve ter alguns negócios para resolver e sei que Jovilette cuidará bem de mim, não cuidará, querida? — Sem esperar resposta, Rachael tomou o braço de Jo e começou a caminhar. — Conheci seus pais — disse ela, enquanto Keane as observava se afastarem. — Mas temo que não muito bem. Eles chegaram no ano em que parti, mas me lembro que eram ambos artistas sensacionais. Keane me disse que você seguiu a profissão de seu pai.

— Sim, eu... — Jo hesitou, sentindo-se estranhamente em desvantagem — Eu segui — terminou, sem graça.

— Você é tão jovem... — Rachael sorriu gentilmente. — Como deve ser corajosa.

— Não... Na verdade, é meu trabalho.

— Sim, é claro. — Rachael riu, parecendo se lembrar de algo semelhante. — Já ouvi isso antes.

Estavam do lado de fora agora, e ela parou e olhou em torno, pensativa.

— Acho que talvez tenha me enganado. Não mudou, de fato. Não em trinta anos. É um lugar maravilhoso, não é?

— Por que você foi embora? — Assim que as palavras foram ditas, Jo se arrependeu. — Desculpe — acrescentou rapidamente. — Não devia ter perguntado.

— É claro que devia. — Rachael suspirou e deu um tapinha na mão de Jo. — É natural. Keane me disse que Duffy ainda está aqui. — À mudança de assunto, Jo pensou que ela evitava responder.

— Sim. Imagino que sempre estará.

— Podemos tomar um café ou um chá, talvez? — Rachael sorriu de novo. — É uma longa viagem da cidade até aqui. Seu trailer está perto?

— Está logo ali, no quintal dos fundos.

— Ah, sim. — Rachael riu e voltou a andar. — A vizinhança nunca muda em mais de mil e quinhentos quilômetros. Conhece a história do cachorro e dos ossos? — Embora Jo a conhecesse bem, não disse nada. — Uma versão é que um funcionário do circo dava um osso a seu cachorro toda noite depois do jantar. O cachorro o enterrava sob o trailer. Então no dia seguinte tentava desenterrá-lo. É claro, estava 75 quilômetros atrás, num terreno vazio e o cachorro nunca entendeu. — Riu sozinha, baixinho.

Sentindo-se sem jeito, Jo abriu a porta de seu trailer. Como essa mulher poderia ser aquela de quem se ressentira durante a vida toda? Como podia ser a mulher fria, sem coração, que abandonara Frank? Estranhamente, Rachael parecia à vontade no ambiente apertado do trailer.

— Como essas coisas são eficientes. — Olhou em torno com interesse e aprovação. — Você mal deve perceber que está sobre rodas. — Despreocupadamente, pegou o volume de Thoreau que estava sobre a bancada de Jo. — Keane me disse que você tem um grande interesse por literatura e por idiomas também — disse ela, olhando do livro para Jo. Os olhos eram dourados e diretos como os do filho. De repente, Jo foi jogada de volta àquela primeira manhã da temporada, quando estava montada em Maggie, olhou para baixo e encontrou os olhos de Keane a observando.

Sentiu-se desconfortável ao saber que Keane falara sobre ela com a mãe.

— Tenho chá — disse Jo enquanto se dirigia para a cozinha. — É melhor do que o meu café.

— Está ótimo — concordou Rachael cordialmente e seguiu-a. — Vou apenas me sentar aqui enquanto você o prepara. — Aparentemente à vontade, sentou-se à pequena mesa da cozinha.

— Lamento, mas não tenho nada mais para lhe oferecer. — Jo se manteve de costas enquanto procurava no armário.

— Chá e conversa — disse Rachael num tom suave. — Será ótimo.

Jo suspirou e se virou.

— Desculpe. — Balançou a cabeça. — Estou sendo indelicada. Apenas não sei o que lhe dizer, sra. Loring. Tive ressentimento por você a minha vida toda e agora você está aqui e não é nem um pouco como imaginei. — Conseguiu sorrir, embora sem graça. — Não é fria e detestável, e se parece tanto com... — Parou, horrorizada por quase ter deixado escapar o nome de Keane. Por um momento, os olhos de Jo mostraram exatamente o que sentia.

Rachael não ficou constrangida.

— Não me espanto por ter ressentimento de mim se era tão próxima de Frank como Keane me contou. Jovilette, Frank também tinha ressentimentos? — perguntou com delicadeza

Impotente, Jo respondeu com certa tristeza.

— Não. Não enquanto o conheci. Acho que Frank não era capaz de sentir ressentimento.

— Você o compreendia bem, não é? — Rachael observou enquanto Jo despejava a água fervendo em duas canecas. — Eu o compreendia também — continuou enquanto Jo levava as canecas até a mesa. — Ele era um sonhador, um espírito livre maravilhoso. — Distraída, a mãe de Keane mexeu o chá.

Consumida pela curiosidade, Jo se sentou diante dela e esperou pela história que sentia que estava prestes a lhe ser contada.

— Tinha 18 anos quando o conheci. Tinha vindo ao circo com uma prima. O Colossus era um pouco menor naqueles dias — acrescentou Rachael com um sorriso ao recordar. — Mas era exatamente igual a hoje. Ah, a magia! — Balançou a cabeça e suspirou. — Nós nos apaixonamos tão depressa, nos casamos apesar de todas as objeções de minha família e pegamos a estrada. Era excitante. Aprendi o número da rede e ajudava com o guarda-roupa.

Os olhos de Jo se abriram.

— Você se apresentava?

— Ah, sim. — O rosto de Rachael ficou vermelho de orgulho. — E era muito boa. Então fiquei grávida. Éramos como duas crianças esperando pelo Natal. Ainda não tinha 19 anos quando Keane nasceu, e estava no circo havia quase um ano. As coisas se tornaram difíceis na temporada seguinte. Eu era jovem e um pouco apavorada com Keane, entrava em pânico se ele espirrava e constantemente arrastava Frank para a cidade para ver médicos. Como ele era paciente... — Rachael se debruçou para a frente e tomou a mão de Jo. — Pode compreender como esta vida é dura para quem não nasceu para ela? Pode ver que, além da magia, da excitação e da maravilha, há dificuldades e medos e exigências impossíveis? Eu era pouco mais do que uma criança, com um bebê para cuidar, sem a força ou a vocação de um artista de circo, sem a experiência e a confiança de uma mãe. Passei toda uma temporada com os nervos à flor da pele. — Rachael suspirou longa e suavemente. — Quando terminou, voltei para casa em Chicago.

Pela primeira vez, Jo imaginou a separação do ponto de vista de Rachael. Podia ver uma menina, mais jovem do que ela, num mundo estranho e rigoroso, com um bebê para cuidar. Ao longo dos anos, Jo vira dezenas de pessoas tentarem a vida que levava e só conseguirem ficar por algumas semanas. Mesmo assim, balançou a cabeça, confusa.

— Acho que compreendo como foi difícil para você. Mas, se você e Frank se amavam, não podiam ter chegado a um lugar comum?

— Como? — perguntou Rachael. — Eu deveria ter alugado uma casa em algum lugar e vivido com ele seis meses por ano? Eu o odiaria. Ele deveria ter desistido de sua vida aqui e se acomodado comigo e Keane? Isso destruiria tudo o que eu amava nele. — Rachael balançou a cabeça e sorriu suavemente para Jo. — Nós nos amávamos, Jovilette, mas não o bastante. As concessões nem sempre são possíveis, e nenhum de nós foi capaz de se ajustar às necessidades do outro. Eu tentei e Frank tentaria se lhe tivesse pedido. Mas tudo estava perdido antes mesmo de começar. Fizemos o melhor dadas as circunstâncias. — Encarou Jo e viu juventude e confiança. — Parece algo frio e duro para você, mas não valia a pena continuar uma situação dolorosa. Ele me deu Keane e dois anos que sempre valorizei como um tesouro. Eu lhe dei a liberdade sem amargura. Dez anos depois de me separar de Frank, encontrei a felicidade de novo. — Ela sorriu suavemente à lembrança. — Amei Frank, e este amor continua tão jovem e doce como no dia em que o conheci.

Jo engoliu em seco e procurou alguma forma de se desculpar pelo ressentimento que tivera a vida toda.

— Ele... Frank tinha um livro de recortes sobre Keane. Acompanhava a vida dele pelos jornais de Chicago.

— É mesmo? — Rachael sorriu. Então se recostou na cadeira e ergueu a caneca de chá. — Bem a cara dele. Ele foi feliz, Jovilette? Teve o que queria?

— Sim — respondeu Jo, sem hesitação. — E você?

Os olhos de Rachael se voltaram para os de Jo. Por um momento, houve especulação no olhar dela, que depois se tornou caloroso.

— Que grande coração você tem, generoso e compreensivo. Sim, tive o que queria. E você, Jovilette, o que quer?

À vontade agora, Jo balançou a cabeça e sorriu.

— Mais do que posso ter.

— Você é inteligente demais para isso — observou Rachael, analisando-a. — Acho que é uma lutadora, não uma sonhadora. Quando o momento de fazer sua escolha chegar, não aceitará menos do que tudo. — Sorriu ao olhar intenso de Jo e, então, se levantou. — Você me mostra seus leões? Não posso lhe dizer o quanto quero ver você se apresentar.

— Sim, é claro. — Jo se levantou, então hesitou. Estendeu a mão. — Estou feliz por você ter vindo.

Rachael aceitou o gesto.

— Eu também.

* * *

Durante todo o resto do dia, Jo procurou por Keane sem sucesso. Depois de conhecer a mãe dele e conversar com ela, sentiu que era ainda mais necessário falar com ele. Sua consciência não lhe daria descanso enquanto não lhe pedisse desculpas. Na hora do espetáculo, ainda não o havia encontrado.

Cada número parecia se arrastar enquanto ela ansiava pelo fim. Ele estaria com a mãe na plateia e, sem dúvida, o encontraria depois do espetáculo. Estava tensa de impaciência enquanto os números se sucediam, parecendo demorar muito mais do que o normal.

Depois do número final, Jo ficou à porta dos fundos, sem saber se deveria esperar ali ou ir para o seu trailer. Sentiu-se ao mesmo tempo aliviada e agitada quando o viu se aproximar.

— Jovilette. — Rachael falou primeiro, tomando a mão de Jo na dela. — Como você foi maravilhosa, como foi assombrosa. Compreendi por que Keane diz que você tem uma beleza indomável.

Surpresa, Jo olhou para Keane, mas viu apenas os impassíveis olhos dourados.

— Estou feliz por ter gostado.

— Ah, nem posso dizer o quanto. O dia me trouxe de volta algumas lembranças muito preciosas. Nossa conversa esta tarde significou muito para mim. — Para a surpresa de Jo, Rachael se inclinou e a beijou. — Espero vê-la de novo. Vou dizer adeus a Duffy antes de você me levar embora, Keane — continuou. — Eu o encontrarei no carro. Adeus, Jovilette.

— Adeus, sra. Loring. — Jo observou-a se afastar antes de se virar para Keane. — Ela é uma pessoa maravilhosa e me fez me sentir envergonhada.

— Não há necessidade disso. — Ele pôs as mãos nos bolsos e observou-a. — Nós dois tínhamos nossos motivos para ressentimentos e nós dois estávamos errados. Como está seu braço?

— Ah. — Os dedos de Jo se levantaram automaticamente para as cicatrizes. — Está ótimo. As cicatrizes são quase invisíveis.

— Ótimo. — A palavra curta foi seguida pelo silêncio. Por um momento, Jo sentiu a coragem lhe faltar.

— Keane — começou, então se obrigou a olhar bem para ele. — Quero pedir desculpas pela maneira horrível como me comportei depois do acidente.

— Já lhe disse antes — falou com frieza. — Não gosto de pedidos de desculpas.

— Por favor. — Jo engoliu o orgulho e tocou o braço dele. — Esperei muito tempo para falar com você. Não acredito naquelas coisas que lhe disse — acrescentou rapidamente. — Espero que me perdoe. — Não era o pedido de desculpas eloquente que planejara, mas era tudo o que conseguia dizer. A expressão dele não se alterou nem por um segundo.

— Não há nada a ser perdoado.

— Keane, por favor. — Jo lhe segurou o braço de novo quando ele se virou para sair. — Não me deixe sentindo como se você não pudesse me perdoar. Sei que disse coisas horríveis e você tem todo o direito de estar furioso, mas não pode... Não podemos ser amigos de novo?

Alguma coisa brilhou na expressão de Keane. Ele ergueu a mão e roçou as costas dos dedos no rosto de Jo.

— Você tem o hábito de me confundir, Jovilette. — Deixou a mão cair e, depois, enfiou-a no bolso. — Deixei uma coisa para você com Duffy. Seja feliz. — Ele se afastou enquanto Jo lidava com o tom de ponto-final na voz dele. Keane estava saindo da vida dela.

Observou-o até ele desaparecer. Jo pensara que sentiria alguma coisa, mas não havia nada; nem dor, nem lágrimas, nem desespero. Não sabia que um ser humano podia ser tão vazio e ainda assim viver.

— Jo. — Duffy se aproximou, estendendo um envelope grosso. — Keane deixou isso para você. — Então se afastou, ansioso para saber se todos os visitantes da cidade tinham ido embora.

Jo sentia como se todas as emoções lhe tivessem sido arrancadas. Distraída, olhou para o envelope enquanto se dirigia para seu trailer. Sem entusiasmo, entrou e abriu o envelope. Ficou parada em pé enquanto tirava o conteúdo de dentro. Levou diversos minutos para decifrar o jargão legal e leu os papéis duas vezes antes de se sentar.

Ele o deu para mim, pensou. Ainda não conseguia compreender a dimensão daquilo. *Ele me deu o circo.*

Capítulo Doze

O Aeroporto O'Hare era um exército de pessoas e uma cacofonia de sons. Quase se perdendo naquele caos, Jo lutou para atravessar a multidão e brigou por um táxi. No começo, apenas olhou, atônita, para a neve como um cara da cidade vendo pela primeira vez um engolidor de espadas. Então, embora tremesse no casaco de veludo que comprara para a viagem, começou a desfrutar. A neve cobrindo a cidade era linda, e a ajudava a desviar o pensamento do objetivo de sua viagem. Jamais estivera no norte tão no fim do ano. Chicago em novembro era uma visão sensacional.

Descobrira, depois que passara o choque inicial, que Keane não lhe dera apenas o circo, mas também uma responsabilidade. Quase imediatamente, houve contratos para negociar. Jo foi jogada num mar de papéis e obrigada a se apoiar pesadamente na experiência de Duffy enquanto tentava recuperar o equilíbrio.

Quando a temporada terminou, Jo havia tentado ligar para Chicago uma dúzia de vezes. Cada vez que fazia isso, desligava antes de terminar de discar o número de Keane. Seria mais adequado vê-lo em pessoa, concluiu. Sua viagem fora adiada por algumas semanas por causa do casamento de Jamie e Rose.

Foi lá, enquanto ficava ao lado de Rose como dama de honra, que Jo descobriu o que devia fazer. Havia uma só coisa que realmente queria, e era estar com Keane. Observando o rosto de Rose enquanto os dois trocavam seus votos, Jo se lembrara de sua determinação incansável de conquistar o homem que amava.

E eu ficarei aqui? Jo se perguntara a milhares de quilômetros de distância dele. Não. E o coração bateu com força enquanto fazia os planos. Jo iria a Chicago para vê-lo e não admitiria ser enxotada de volta. Ele a quisera uma vez; ela o faria querê-la de novo. Não viveria sem que, pelo menos, uma pequena parte de sua vida fosse ao lado dele. Keane não a amava, mas era suficiente que ela o amasse.

E assim, tremendo com o frio pouco familiar, Jo entrou num táxi e atravessou a cidade. Tirou a neve do cabelo com dedos gelados e pensou como tinha sido idiota ao se esquecer de comprar luvas e um chapéu.

E se ele não estivesse em casa? Pensou nisso de repente. E se tivesse viajado para a Europa ou o Japão ou a Califórnia? O pânico a fez ficar tonta, e Jo combateu esse sentimento. Ele tinha de estar em casa. Era domingo, e ele estaria sentado em casa lendo ou estudando um processo... Ou recebendo uma mulher, pensou, abalada. Devia parar e telefonar. Devia dizer ao motorista para levá-la de volta ao aeroporto. Fechando os olhos, Jo lutou para recuperar a calma. Respirou profundamente diversas vezes e olhou para os edifícios e calçadas. Aos poucos, sentiu a ponta de histeria desaparecer.

Não terei medo, disse a si mesma e tentou acreditar nisso. *Não terei medo.* Mas Jovilette, a mulher que se deitava sobre um tapete de leões, estava com muito medo. E se ele a rejeitasse? *Não o deixarei me rejeitar,* disse a si mesma, erguendo, confiante, o queixo. *Eu o seduzirei,* pensou pressionando os dedos nas têmporas. *Não saberei nem como começar. Preciso dizer ao motorista para voltar.* Mas, antes que pudesse formar as palavras, o táxi parou ao lado de uma calçada. Com a precisão de um robô, Jo pagou a corrida, deu uma gorjeta excessiva, por pura afobação, e desceu.

Muito depois de o táxi ter se afastado, ela ainda estava em pé na calçada, olhando para o edifício alto e luxuoso, com vidraças imensas. A neve dançava em torno dela, caindo no cabelo e nos ombros. Um empurrão de um pedestre apressado rompeu o encantamento. Ela pegou as malas e passou pela entrada do edifício residencial.

O saguão era enorme, com paredes de vidro fumê, e o piso coberto por um tapete felpudo. Sem saber que precisava dar seu nome na portaria, Jo se dirigiu para os elevadores, evitando inocentemente ser parada ao se misturar a um grupo de moradores. Uma vez dentro do elevador, ela apertou o botão da cobertura com um dedo trêmulo. A conversa das outras pessoas era apenas um som distante. Não percebeu quando o elevador parou para eles descerem.

Quando o elevador parou pela segunda vez e as portas se abriram, ela ficou imóvel por dez segundos, apenas olhando para o espaço vazio. Somente quando as portas automáticas começaram a se fechar ela saiu do transe. Abriu-as de novo, saiu e se viu num pequeno saguão. Suas pernas estavam sem forças, mas as obrigou a se moverem na direção da cobertura. O pânico lhe percorria a espinha, subindo e descendo, até ela parar, deixar a bagagem no chão e apoiar a testa na porta de Keane. Obrigou-se a respirar e lembrou que Rachael Loring a chamara de lutadora. Jo engoliu em seco, ergueu o queixo e bateu. A espera foi misericordiosamente rápida antes que Keane abrisse a porta. Viu a surpresa iluminar os olhos dele enquanto a encarava.

O cabelo de Jo estava coberto de flocos de neve, assim como seus ombros. O rosto estava vermelho com o frio, e seus olhos brilhavam, quase febris com a luta para manter a calma. Sua boca tremeu apenas uma vez antes de falar.

— Oi, Keane.

Ele apenas a observava, os olhos passando por Jo sem acreditar. Estava mais magro, pensou, ao notar o rosto de Keane. Enquanto se preenchia com a visão dele, percebeu que vestia camiseta e jeans, e estava descalço. Não havia se barbeado, e a mão dela coçava para testar a aspereza daquela barba.

— O que está fazendo aqui? — Jo sentiu o retorno do pânico. O tom de voz era duro e Keane não sorrira de volta. Jo endireitou-se. Precisava ser firme.

— Posso entrar? — perguntou, o sorriso quase desaparecendo.

— O quê? — Ele pareceu abalado pela pergunta. As sobrancelhas franziram.

— Posso entrar? — repetiu Jo mal controlando a ansiedade de se virar e correr.

— Ah, sim, é claro, me desculpe. — Keane passou uma das mãos pelo cabelo, recuou um passo e fez um gesto em direção ao interior do apartamento.

Na mesma hora, os sapatos de Jo mergulharam no carpete grosso e macio. Por um momento, permitiu-se observar a sala, usando o tempo com a finalidade de recuperar a compostura.

Era uma sala aberta, grande, com cores fortes e contrastantes. Havia um grande sofá de couro marrom-escuro e, diante dele, uma mesinha de café em cromo e vidro, poltronas de espaldares altos de cor bege e almofadas de chão de azul intenso. Havia quadros, e Jo achou que um deles era um Picasso; e uma escultura, que tinha certeza de que era uma obra de Rodin.

No ponto mais à direita da sala, havia uma elevação com dois degraus. Bem além dos deles, uma enorme expansão de vidro proporcionava uma vista ampla de Chicago. Jo andou em direção a ela sem disfarçar a curiosidade. Agora, inexplicavelmente, o medo diminuíra. Descobriu que, uma vez atravessada a soleira da porta, tinha se comprometido. Não precisava mais ter mais medo.

— É maravilhoso — disse ela, virando-se para ele. — Como é maravilhoso ter a cidade aos seus pés todos os dias. Você deve se sentir como um rei.

— Nunca pensei dessa maneira. — Com metade da sala entre eles, Keane observou-a. Parecia pequena e frágil com a vibrante cidade às suas costas.

— Eu pensaria — disse ela, e agora o sorriso surgindo com facilidade. — Eu ficaria à janela e me sentiria régia e pomposa.

Por fim, ela viu os lábios dele relaxarem e esboçarem um sorriso.

— Jovilette, o que está fazendo no meu mundo? — disse, calmo.

— Precisava conversar com você — respondeu ela simplesmente. — E tive de vir aqui para fazer isso.

Keane andou na direção dela, lentamente, sem desviar os olhos dos dela.

— Deve ser importante.

— Achei que sim.

As sobrancelhas dele se ergueram. Depois, Keane deu de ombros.

— Bem, então conversaremos. Mas primeiro me dê seu casaco.

Os dedos gelados de Jo tiveram dificuldades com os botões, e Keane franziu a testa de novo.

— Deus do céu. Você está congelando! — Segurou-lhe as mãos e xingou. — Onde estão suas luvas? — perguntou como um pai furioso. — Deve estar fazendo menos de cinco graus lá fora.

— Esqueci de comprá-las — disse Jo enquanto lidava com a sensação deliciosa das mãos dele aquecendo as suas.

— Idiota! Não sabia que é impossível vir a Chicago em novembro sem luvas?

— Não — respondeu à fúria dele com um sorriso alegre. — Jamais estive em Chicago em novembro. É maravilhoso.

Os olhos dele se ergueram das mãos de Jo para o rosto. Observou-a por um longo momento. Então, ela o ouviu suspirar.

— Quase me convenci de que estava curado.

Os olhos de Jo se encheram de preocupação.

— Você esteve doente?

Keane riu sacudindo a cabeça. Depois, deixou a observação de lado e se tornou enérgico de novo.

— Venha. Vamos tirar o casaco. Depois vou lhe dar um café.

— Não precisa se incomodar — começou Jo enquanto ele lhe desabotoava o casaco e o tirava.

— Eu me sentirei melhor se tiver certeza de que sua circulação se restabeleceu. — Fez uma pausa e olhou para ela enquanto dobrava o casaco no braço. Ela vestia um suéter angorá verde com botões de pérolas e uma saia cinza de lã fina. O tecido suave lhe moldava os seios, os quadris e as coxas. Os sapatos de salto alto eram graciosos e pouco práticos.

— Alguma coisa errada?

— Nunca a vi vestir nada além de fantasias ou jeans.

— Ah... — Jo riu e passou os dedos no cabelo úmido. — Devo estar bem diferente.

— Sim, está. — A voz era baixa e havia uma expressão estranha nos olhos dele. — Agora parece que veio da faculdade para as férias.

— Tocou-lhe as pontas do cabelo e se virou. — Sente-se. Vou buscar um café para você.

Um pouco perplexa com o humor instável de Keane, Jo andou pela sala, finalmente ignorando uma poltrona para se ajoelhar sobre uma das almofadas perto da janela imensa. Embora o carpete abafasse os passos de Keane, Jo percebeu o retorno dele.

— Que maravilha ter um inverno de verdade, com neve! — Jo virou o rosto radiante para ele. — Sempre imaginei como seria o Natal com neve e pingentes de gelo. — Imagens de flocos de neve dançavam nos olhos dela. Vendo que ele carregava duas canecas, Jo se levantou e pegou uma. — Obrigada.

— Está aquecida? — perguntou ele, depois de um momento. Jo fez que sim e se sentou numa das duas poltronas em frente ao sofá. A novidade da cidade tornou sua missão uma grande aventura. Keane se sentou ao lado dela e, por alguns instantes, tomaram o café em um silêncio agradável.

— Sobre o que quer conversar comigo, Jo?

Engoliu em seco, ignorando o leve tremor no peito.

— Duas coisas. Uma delas é o circo. — Mexeu-se na cadeira até ficar de frente para ele. — Não escrevi porque achei que era importante demais. Não telefonei pelo mesmo motivo. Keane... — Todos os discursos cuidadosamente ensaiados foram esquecidos. — Você não pode simplesmente dar uma coisa como aquela. Não posso aceitar isso de você.

— Por que não? — Ele deu de ombros e tomou um gole de café. — Nós dois sabemos que sempre foi seu. Um pedaço de papel não muda nada.

— Keane, Frank o deixou para você.

— E eu dei para você.

Jo deixou escapar um pequeno som de frustração.

— Talvez, se eu pudesse pagar por ele...

— Alguém me perguntou uma vez qual era o valor de um sonho ou o preço de um espírito humano. — Jo olhou para ele, impotente. — Na ocasião, não tive uma resposta. Você a tem agora?

Ela suspirou e balançou a cabeça.

— Não sei o que lhe dizer. "Obrigada" está longe de servir.

— E também não é necessário — disse Keane. — Eu simplesmente devolvi o que era seu, de todo jeito. E qual é o outro assunto, Jo? Você disse que eram dois.

Era agora, disse o cérebro de Jo. Com cuidado, ela colocou a caneca sobre a mesinha e se levantou. Esperando que o estômago se acalmasse, caminhou alguns passos pela sala e se virou. Permitiu-se uma respiração profunda antes de encontrar os olhos de Keane.

— Quero ser sua amante — disse ela com a mais absoluta calma.

— *O quê?* — A voz e o rosto de Keane transpareciam choque completo.

Jo engoliu em seco e repetiu.

— Quero ser sua amante. Esta ainda é a palavra certa, não é? Ou é antiquada? Ou *seu caso* seria mais certo? Não sei. Nunca fiz isso antes.

Lentamente, Keane colocou a caneca ao lado da dela e se levantou. Não se aproximou dela, mas a observou com olhos penetrantes.

— Jo, você não sabe o que está dizendo...

— Ah, eu sei, sim — interrompeu ela e acenou. — Posso não conhecer a terminologia exata, mas sei o que quero dizer e tenho certeza de que você também sabe. Quero ficar com você — continuou, dando um passo em direção a ele. — Quero que faça amor comigo. Quero viver com você, se você deixar, ou pelo menos ficar perto de você...

— Jo, você não está falando com sensatez — Keane interrompeu-a de modo brusco. Virando-se de costas, colocou as mãos nos bolsos e fechou-as em punhos. — Você não sabe o que está pedindo.

— Não se sente mais atraído por mim?

Keane se virou, enfurecido com o traço de curiosidade na voz dela.

— Como pode me perguntar isso? É claro que me sinto atraído por você. Não estou morto nem senil!

Jo se aproximou mais.

— Então, se eu o quero e você me quer, por que não podemos ser amantes?

Keane soltou um palavrão e agarrou-a pelos ombros.

— Acha que posso tê-la durante um inverno e então calmamente deixá-la partir? Acha que posso me desligar no começo da temporada e vê-la sair da minha vida? Você não consegue perceber o que faz comigo? — Sacudiu-a com força enquanto fazia a pergunta, roubando-lhe o ar que ela poderia ter usado para responder. — Você me enlouquece! — Abruptamente, puxou-a para si. A boca esmagou a dela, e os dedos mergulharam na pele de Jo. A cabeça dela rodou com a confusão e a dor e o êxtase. Parecia que havia se passado séculos desde a última vez que o beijara. Ouviu-o gemer quando se afastou de repente e se virou, deixando-a sozinha para recuperar o próprio equilíbrio enquanto a sala rodava.

— O que preciso fazer para me livrar de você? — As palavras eram cheias de fúria.

Jo soltou a respiração.

— Acho que me beijar assim não é um bom começo.

— Sei disso — murmurou Keane. Jo observou os ombros dele subirem e descerem. — Estive tentando não fazer isso desde que abri a porta.

Em silêncio, Jo andou até ele e lhe pôs a mão em seu braço.

— Você está tenso. — Jo percebeu e, automaticamente, começou a lhe massagear os músculos. — Desculpe se estou fazendo tudo errado. Pensei que lhe dizer claramente seria melhor do que tentar seduzi-lo. Acho que não seria boa nisso.

Keane deixou escapar um som que era entre uma risada e um gemido.

— Jovilette — murmurou, antes de se virar e tomá-la nos braços. — Como posso resistir a você? Quantas vezes tenho de me afastar antes de me livrar de você? Enlouqueço só de pensar em você.

— Keane... — Ela suspirou e fechou os olhos. — Há tanto tempo que quero que você me abrace. Quero pertencer a você, mesmo que só uma vez.

— Não. — Ele se afastou e lhe ergueu o queixo com o polegar e o indicador. — Não vê que uma vez só seria demais e uma vida inteira não seria suficiente? Eu a amo demais para deixá-la ir, embora eu saiba que preciso. — O choque a deixou muda, e Jo apenas olhou para ele enquanto Keane continuava. — Era diferente quando eu não sabia, quando pensei que estava... Como você disse? Encantado. — Sorriu um pouco por causa da palavra. — Estava certo de que, se pudesse fazer amor com você, eu a esqueceria. Então, na noite em que Ari morreu, eu a abracei enquanto dormia. Percebi que a amava, que a tinha amado desde o princípio, desde a primeira vez em que a vi.

— Mas você... — Jo balançou a cabeça, como se quisesse clarear a mente. — Você nunca me disse. E parecia tão frio, tão distante.

— Não podia tocá-la sem querer mais. — Keane a puxou para perto de novo e, por um momento, enterrou o rosto no cabelo dela. — Mas não conseguia ficar longe. Sabia que, se quisesse tê-la, realmente tê-la, um de nós teria de desistir do que fazemos, do que somos. Imaginei se seria capaz de abrir mão do Direito, da profissão que sempre foi a que eu queria, pois descobri que a queria mais ainda.

— Ah, Keane... — Jo balançou a cabeça, mas ele a afastou subitamente.

— Então descobri que isso também não daria certo. — Keane se virou, caminhou até a janela e olhou para fora. A neve estava caindo, forte. — Cada vez que você entrava naquela jaula, eu entrava no inferno. Pensei que talvez eu me acostumasse, mas apenas piorou. Tentei deixá-la, voltar para cá, mas jamais consegui me livrar de você e continuava voltando. No dia em que foi ferida... — Keane fez uma pausa, e Jo o ouviu respirar fundo e, quando continuou, a voz estava mais grave. — Eu a vi dar um passo para ficar na frente daquele rapaz e levar o golpe. Não posso lhe dizer o que senti naquele momento. Não há palavras para descrever. Tudo em que podia pensar era chegar até você. Não sei se Pete lhe contou que o derrubei antes que Buck me segurasse. Ele levou tudo na esportiva. Mas eu bati nele. Então tive que... Apenas ficar lá e olhar enquanto aquele leão a ameaçava. Jamais senti aquele tipo de medo. Do tipo que drena o corpo e a alma. — Ele ficou em silêncio por um momento. — Então acabou, e fui até você. Você estava tão pálida e sangrando nos meus braços... — Keane soltou outro palavrão. Então, ficou em silêncio novamente e balançou a cabeça. — Queria queimar aquele lugar, levar você embora, estrangular os leões com minhas próprias mãos, qualquer coisa. Queria segurá-la em meus braços, mas não conseguia superar o medo e a raiva irracional por ter sido impotente, incapaz de evitar que você fosse ferida. Antes que minhas mãos parassem de tremer, você já estava fazendo planos para voltar para aquela maldita jaula. Quis matá-la, me matar e acabar com tudo. — Lentamente, Keane se virou e andou de volta para ela. — Por semanas, vi aquilo acontecer de novo cada vez que fechava meus olhos. Posso lhe mostrar exatamente onde as cicatrizes estão. — Ergueu um dedo e traçou as quatro linhas no braço dela, precisamente no lugar onde as garras haviam lhe rasgado a pele. Então deixou a mão cair e balançou a cabeça. — Não posso vê-la na jaula, Jo. — Keane ergueu a mão de novo e acariciou o cabelo dela. — Se deixá-la ficar comigo agora, não seria capaz de permitir que voltasse para a sua própria vida. E não posso lhe pedir que desista dela.

— Gostaria que pedisse. — Com olhos sérios, Jo o observou. — Gostaria muito que pedisse.

— Jo... — Keane balançou a cabeça e lhe deu as costas. — Sei o quanto isso significa para você.

— Imagino que não mais do que o Direito significa para você — disse ela com veemência. — Mas você falou que estava disposto a desistir dele.

— Sim, mas...

— Ah, muito bem. — Jo jogou o cabelo para trás. — Se não vai me pedir, terei de pedir. Quer se casar comigo?

Keane virou-se para ela, com a testa franzida.

— Jo, você não pode...

— É claro que posso. Estamos no século XXI. Se eu quiser pedir a você para se casar comigo, então peço. E pedi — assinalou ela.

— Jo, eu não...

— Sim ou não, por favor, advogado. Este não é um pedido fácil. — Jo deu um passo à frente até seus pés se encontrarem. — Amo você e quero me casar com você e ter uma porção de bebês. Concorda com isso?

A boca de Keane abriu e se fechou. Ele lhe deu um sorriso estranho e ergueu as mãos para os ombros de Jo.

— Isso é muito repentino.

Jo sentiu uma onda selvagem de alegria.

— Talvez seja — admitiu. — E eu lhe darei um minuto para pensar. Mas posso lhe dizer desde já que não aceitarei um não como resposta.

Os dedos de Keane traçaram-lhe a curva do pescoço.

— Parece que tenho pouca escolha.

— Nenhuma — corrigiu ela e, ousada, passou os braços pelo pescoço dele e lhe tomou a boca. Imediatamente, o beijo se tornou profundo e cheio de desejo.

Juntos, abaixaram-se para o tapete e se abraçaram. Por um longo, longo momento, os lábios ficaram unidos numa linguagem complexa demais para palavras. Então, como se para se garantir que Jo era real, Keane explorou as familiares curvas do corpo dela, provou o sabor de sua pele, pelo qual tanto ansiara.

— Por que pensei que poderia viver sem você? — sussurrou, e a boca voltou desesperadamente para a dela. — Tenha certeza, Jo, tenha certeza. — Rouca devido à emoção, a voz de Keane era baixa, e as palavras ditas de encontro aos lábios dela. — Jamais serei capaz de deixá-la ir. Estou exigindo isso.

— Não, não. Não é assim. Abrace-me com mais força, beije-me de novo — exigiu ela, enquanto os lábios dele viajavam por seu rosto. — Beije-me. — Jo perguntou-se se o som de prazer partira dela ou dele. Não sabia que um beijo podia ser aquela coisa tão íntima, tão aterrorizadoramente excitante. Não, pensou, enquanto chegava à conclusão de que ele a amava. Keane não estava exigindo nada; estava dando.

— Estou deixando uma coisa para trás — disse ela quando seus lábios se separaram. — E substituindo por outra infinitamente mais importante. — Jo escondeu o rosto na curva do pescoço de Keane. — Quando entender o quanto eu amo você, compreenderá.

Keane se afastou um pouco e olhou para ela. Por fim falou, mas foi apenas o nome dela; o suspiro de um som. Ela sorriu e ergueu a mão para o rosto dele.

— Se há uma forma de fazer concessões...

— Não. — Jo balançou a cabeça, lembrando-se das palavras da mãe dele. — Algumas vezes, não podem existir concessões. Nós nos amamos o bastante para não precisar delas. Por favor, não pense que estou fazendo um sacrifício; não estou — Jo sorriu de leve e roçou a palma da mão na barba crescida, acariciando-a. — Não me arrependo de um minuto da minha vida no circo e não me arrependo de mudá-la. Você me deu o circo, assim sempre serei uma parte dele. — O sorriso desapareceu, e os olhos dela ficaram sérios. — Você quer pertencer a mim, Keane?

Ele tirou a mão dela de seu rosto e pressionou os lábios na palma.

— Já pertenço. Amo você, Jovilette. Passarei a vida amando você.

— Isso não é longo o bastante — disse ela, enquanto seus lábios se encontravam de novo. — Quero para sempre.

Com lenta e crescente paixão, as mãos dele se moveram sobre ela. Demorando-se, Keane lhe desabotoou o suéter.

— Tão linda — murmurou enquanto os lábios viajavam pelo pescoço até os mamilos de Jo. A respiração dela parou à nova intimidade.

— Você está tremendo, e adoro saber que posso fazer sua carne tremer sob minhas mãos. — Os lábios se voltaram para os dela antes que a aninhasse nos braços. — Quis estar com você, abraçá-la, apenas abraçá-la, por tanto tempo. Não consigo me lembrar de quando não quis isso.

Com um suspiro cheio de contentamento, Jo se apertou contra ele.

— Keane — murmurou.

— *Hum?*

— Você não me respondeu.

— O quê? — Beijou-lhe os olhos fechados, e, depois, mergulhou os dedos no cabelo dela.

Jo abriu os olhos, e as sobrancelhas se arquearam.

— Vai se casar comigo ou não?

Keane riu, virou-a e deu um beijo longo e demorado, na boca de Jo.

— A cerimônia pode ser amanhã?

Publisher
Omar de Souza

Gerente editorial
Livia Rosa

Coordenação de produção
Thalita Aragão Ramalho

Produção editorial
Marcela Isensee

Assistente editorial
Tabata Mendes

Edição de texto
Juliana Novoa

Copidesque
Márcia Glenadel

Revisão
Rafael Surgek
Aline Canejo

Diagramação
Abreu's System

Capa
Coralina Estúdio

Este livro foi impresso no Rio de Janeiro, em 2017,
pela Edigráfica, para a HarperCollins Brasil.
A fonte usada no miolo é Warnock Pro, corpo 11,5/15,6.
O papel do miolo é Chambril Avena 80g/m², e o da capa é cartão 250g/m².